JEU DE RÔLES

Les auteurs

Il y a un peu plus de vingt ans, **Geneviève Lecourtier** et **Christine Féret-Fleury** rêvaient toutes les deux d'écrire et de vivre entourées de chevaux. Depuis, Geneviève a créé son centre équestre en Provence, et Christine, après avoir travaillé dans l'édition, est devenue écrivain. Mais il leur restait un rêve à réaliser : elles ont donc décidé de conjuguer leurs talents pour faire partager aux jeunes lecteurs leur passion commune pour l'équitation.

Des mêmes auteurs dans la collection Toi + Moi :

– *L'été de Charlotte*

Et de Christine Féret-Fleury dans la collection Toi + Moi :

– *@moureuse.com*

Vous aimez les livres de la série

En Selle!

Écrivez-nous
pour nous faire partager votre enthousiasme :
Pocket Jeunesse, 12 avenue d'Italie, 75013 Paris

Christine Féret-Fleury
Geneviève Lecourtier

Jeu de rôles

POCKET
jeunesse

Loi n° 49 956 du 16 juillet 1949 sur les publications destinées
à la jeunesse : janvier 2010.

© 2010, éditions Pocket Jeunesse,
département d'Univers Poche.

ISBN : 978-2-266-19793-9

Pour Éva et Aloïs

1

— C'est pire que le grenier d'une brocante, ici… On en a pour des siècles !

Jessica, émergeant d'une pile de cartons, agitait une blouse de satin vert mangée aux mites. Un bonnet à pointes orné de grelots dédorés a roulé sur le sol poussiéreux.

— C'est censé être quoi, cette guenille ?

— Un costume de théâtre, a répondu Alix, qui s'évertuait à plier des sacs de granulé vides. Il y a quelques années, nous avons monté un spectacle équestre à partir d'une de ces pièces médiévales… je ne sais plus comment on les appelle…

— Les mystères ? ai-je suggéré. Les miracles ? Les moralités ? Les farces ? Les soties ? Les… ?

— Oh, la ferme, Wiki, a grommelé ma sœur, les yeux au ciel. Pourquoi suis-je la seule à compter une encyclopédie vivante parmi les membres de ma famille ?

— Une farce, c'est ça, Léa, a confirmé Alix avec un sourire. Maman s'était inspirée d'un texte du Moyen Âge. Le titre de la pièce était magnifique : *Les Émois de Nossibée*... Et cette robe...

Elle a extirpé d'une malle défoncée un rêve de tulle et de soie rose, malheureusement maculé de chiures de mouches et de toiles d'araignées.

— ... je l'ai portée pour une autre fête du club. C'était quoi, le thème, déjà ? Ah ! Oui. Venise... *Les Roses de Venise*... Juliette avait écrit le canevas de la pièce en alexandrins, s'il vous plaît – pendant une rando en Camargue ! Une histoire de roses empoisonnées, avec des meurtres, des masques, un carrousel... et un menuet !

— Impressionnant, a commenté Luc, mi-figue mi-raisin. Mais si tu dois nous retracer l'historique complet des spectacles du club des Garrigues, nous n'aurons pas fini à temps pour le déjeuner... et j'ai faim !

Jessica a laissé tomber la défroque de bouffon dans un grand sac-poubelle et a frotté son visage noirci de poussière avec le bas de son tee-shirt.

— Il a raison. Moi aussi, j'ai l'estomac dans les talons ! Alix, on garde ou on jette ?

— On jette. Maman veut que ce hangar soit net comme une salle d'attente de dentiste.

J'ai traîné vers le camion une bâche gonflée par un bric-à-brac de fils de fer rouillés, de cartons éventrés, de vieilles boîtes, de brosses sans poils, d'étriers dépareillés et de harnais noircis.

— Attends, Léa, je vais t'aider !

Alix accourait. À nous deux, nous avons hissé mon chargement sur le pont incliné. Le van, destiné au transport de deux chevaux, était déjà presque plein. Nous avions éliminé impitoyablement les barres d'obstacles cassées, les outils hors d'usage, les chandeliers tordus, tout ce que, dans un club hippique, on met de côté « au cas où » et qui s'accumule année après année sans jamais servir. Grand nettoyage de printemps – ou plutôt d'automne. Les grandes vacances tiraient à leur fin ; dans deux semaines, les cours reprendraient… et, c'était décidé, je n'irais pas en fac à Paris. Mes parents me trouvaient trop jeune. « À seize ans, Léa ! Tu te vois dans un studio ou une chambre d'étudiant, toute seule, préparer tes repas, faire tes courses, ta lessive, ton ménage ? Tu n'es même pas encore sûre de ton choix d'orientation… Donne-toi une année de répit ! »

J'avais accepté, sans rechigner. Non parce que leurs arguments m'avaient convaincue, mais parce que j'avais compris le message sous-jacent : « Donne-*nous* une année de répit ! » Ils n'étaient pas prêts à me laisser partir.

Tout compte fait, hypokhâgne, c'était une bonne idée. Grâce à la mention « très bien » récoltée au bac, mon dossier avait été accepté immédiatement. Je restais dans mon lycée, où Alix, ma meilleure amie, allait me rejoindre, puisqu'elle entrait en seconde. Je gardais mes repères. Je pourrais tenter, en fin d'année, différents concours, et obtenir l'équivalence d'une première année d'histoire ou de lettres. Au fond, je me sentais soulagée. Et honteuse, aussi. Un pincement au cœur, un reproche intime… J'avais manqué de courage, de décision… Trop couvée ? Trop jeune ? Et s'ils avaient raison ?

— Léa ? Tu peux me passer la cuve en plastique ? Elle est trouée… inutilisable.

— Tu ne vas pas la jeter ! Je m'en servirai, moi, comme affût[1] pour photographier les oiseaux…

Luc, ravi, a fait rouler l'encombrant objet hors du hangar.

— Très discret, ce rose fluo, ai-je ironisé. Si j'étais un piaf, je ne m'en approcherais pas !

— Je vais acheter un filet de camouflage… avec quelques branches, ce sera idéal.

Il s'est essuyé les mains sur son jean.

— C'est bon, on a fini ?

— Il reste cette vieille cantine en fer, a indiqué Jessica. Elle était cachée sous un tas de pneus. Donnez-moi un coup de main pour la tirer ! Quel poids ! Je me demande ce qu'elle contient !

La malle, coincée dans un angle de mur, était difficile à déloger. Une fois le couvercle soulevé, nous avons constaté qu'elle était remplie de vêtements et de trophées.

— Les coupes de maman ! s'est écriée Alix. Elle disait les avoir perdues…

Jessica soulevait, l'une après l'autre, coupes

_____

1. **Affût** : endroit où l'on s'embusque pour guetter le gibier.

et statuettes, pour lire les inscriptions figurant sur les plaques.

— « Championnat régional Nord-Pas-de-Calais, CSO[1], 3e prix ; Coupe CCE[2] des Ardennes, 1er prix ; Challenge départemental de l'Oise, 3e série dressage, 1er prix... » Un beau palmarès !

Une veste de concours noire, bien pliée, recouvrait un tricorne cabossé, des cravates de coton piqué blanc un peu jaunies, une paire de bottes et une longue jupe. Au fond de la malle, un sac de jute hérissé de bosses dures.

— Drôle de forme, a fait remarquer Luc, intrigué.

— On l'ouvre ?

Jessica trépignait.

— À toi l'honneur, Alix...

C'était une selle d'amazone ! Lourde, massive, avec ses deux fourches, sa large sangle, son siège plat. Le cuir était usé, une des coutures avait cédé. Rien d'irréparable : la selle avait visiblement été graissée « à bloc » avant d'être rangée, et deux couvertures l'enveloppaient.

---

1. CSO : concours de saut d'obstacles.
2. CCE : concours complet d'équitation.

— J'avais oublié…, a murmuré Alix. Ma mère a beaucoup pratiqué l'équitation en amazone quand elle avait notre âge. Elle m'a montré des photos. Elle sortait en CSO et sautait les obstacles avec sa grande jupe. La classe ! Mais quand elle est passée en 4ᵉ catégorie, elle a dû arrêter. Je suis sûre que cette malle n'a pas revu le jour depuis notre installation ici !

— Et si on remettait la selle en état ? a proposé Luc. Pour lui faire une surprise ?

Alix l'a embrassé sur la joue.

— Bonne idée ! Ça lui remontera peut-être le moral ! En ce moment, elle déprime.

— C'est parti !

Aidé par Jessica, Luc a soulevé la selle d'amazone et l'a emportée vers le local voisin de la sellerie où nous rangeons les produits nécessaires à l'entretien du matériel : savon glycériné, éponges, chiffons, aiguilles et fil suiffé pour la réparation des cuirs, pots de graisse… Après avoir fermé le hangar, nous leur avons emboîté le pas.

— Hélène a des problèmes ? ai-je interrogé. Tu as dit qu'elle déprimait.

— Elle risque de perdre beaucoup de cavaliers à la rentrée, a dit Alix. Tu n'as pas entendu les infos régionales, hier ? La plus grosse entreprise de la région va supprimer mille cinq cents postes... De nombreux adhérents y travaillaient. Si tu ajoutes ça au nombre habituel d'élèves qui changent d'activité sportive tous les ans et choisissent plutôt le tennis ou la danse classique... Maman a peur de ne même pas atteindre les quatre-vingts licences. Pour le club, ce serait une catastrophe.

— Et les pensions ?

— Elles ne rapportent presque rien. Le prix du foin a augmenté, celui du granulé aussi, sans compter les frais d'entretien... Ce sont les cours qui font tourner la boutique !

J'ai jeté un coup d'œil vers la fenêtre du bureau.

— Je me demandais pourquoi elle s'était enfermée là-dedans avec Juliette !

— Elles font un « remue-méninges », comme on dit au Québec. Il doit bien y avoir une solution... a soupiré Alix.

— Les scolaires ? Les classes vertes ?

— Nous n'avons pas assez de poneys. Pas assez pour accueillir des groupes de trente ou quarante gamins. En fait, il faudrait, pour relancer les inscriptions, développer une activité que les autres clubs de la région

ne proposent pas, quelque chose de nouveau, d'original... mais quoi ?

Parodiant le professeur Tournesol, j'ai
levé l'index vers le ciel.

— Alix, je crois que le Grand Tout, par
l'intermédiaire d'une vieille malle rouillée,
vient de m'envoyer une idée lumineuse !

2

Notre surprise a ramené le sourire sur les lèvres de la monitrice, et, le lendemain après-midi, après la seconde distribution de foin, elle a décidé d'essayer sa « nouvelle » selle. Comme le soleil était encore brûlant, nous avons recherché l'ombre des chênes. Hélène s'est promenée dans le terrain de cross, au pas, le temps de se réhabituer aux sensations propres à la monte en amazone. La selle, nettoyée et graissée, avait retrouvé sa souplesse ; un épais tapis protégeait le large dos d'Annam. Luc avait dû recoudre la balancine, cette fine sangle fixée à l'arrière de la selle pour assurer plus de stabilité à l'ensemble.

— La matelassure manque de moelleux, mais je me souviens que c'était déjà le cas avant. Le confort du cavalier ne comptait

pas beaucoup à l'époque de sa fabrication !
a lancé Hélène en riant.

— Je ne comprends pas comment on peut tenir à cheval avec les deux jambes du même côté, s'est étonné Luc. J'aurais peur de basculer...

— Tu as vu les fourches ?

Alix pointait le doigt vers l'avant de la selle.

— Oui, ces cornes, vers le pommeau... La jambe gauche est maintenue entre l'étrier et la fourche du bas. La jambe droite s'enroule autour de la fourche supérieure.

— Dire que les amazones suivaient les chasses à courre autrefois. Elles avaient intérêt à s'accrocher ! a-t-il plaisanté.

— Au triple galop dans les bois, elles sautaient les murs, les fossés et les rivières, a enchaîné Jessica.

— Tu sais que, pour les femmes, la vie est plus compliquée que pour les hommes, ai-je affirmé. Les mâles se sont toujours chargés de leur créer des handicaps !

— C'était le quart d'heure féministe de Léa Fontaine ! a claironné ma sœur. À vous, les studios !

17

Assis au bord de la carrière, nous écoutions le trot rythmé d'Annam sur la piste d'entraînement. Hélène paraissait détendue, heureuse de cette diversion à ses préoccupations habituelles. Ralentissant un peu l'allure, elle a exécuté diverses figures de manège avant de prendre le galop.

Sa jument s'était vite accoutumée à la selle d'amazone. Il est vrai qu'Hélène pouvait lui demander n'importe quoi ! J'avais rarement vu une telle confiance lier une cavalière et sa monture. Voltes, transitions, changements de pied au galop… leur accord était total.

— Comment réussis-tu à faire tout ça avec seulement la moitié d'une jambe ? a demandé Luc, perplexe. Tu ne bouges pas un cil !

— Transmission de pensée, a-t-elle répondu en souriant.

— J'aimerais essayer, ai-je avoué. Pas la transmission de pensée, je ne suis pas assez douée ! Mais l'équitation en amazone…

— Je te cède la place, il faut que je ménage mon vieux dos !

Hélène a sauté légèrement à terre.

— Luc, tu peux aider Léa à monter ? Tu dois d'abord t'asseoir sur le côté, les jambes parallèles, m'a-t-elle expliqué. Ensuite, tu passes ta jambe droite au-dessus des fourches.

Je me suis installée tant bien que mal.

— Et pour avancer ?

— Utilise surtout la voix et l'assiette. L'action de jambe est limitée à ta jambe gauche, qui est très haute à cause de l'étrier raccourci. Je vais te donner une badine qui remplacera ta jambe droite.

Nous avons fait quelques pas sur la piste. Je n'en menais pas large.

— Ne te penche pas trop à gauche !

— Mais j'ai l'impression que si la selle bouge, je vais basculer à droite et me retrouver les quatre fers en l'air !

— Tu me fais confiance ? Alors cale bien tes jambes dans les fourches et prends le trot, tu verras que cette position est moins instable qu'il n'y paraît.

Sur un appel de langue, Annam est passée à l'allure supérieure. Son trot m'a paru plus confortable que d'habitude – un mouvement fluide et élastique. Pendant dix minutes, nous avons évolué aux trois allures, puis j'ai cédé ma place à Alix. Jessica a pris le relais, très à l'aise, sautant même deux petits obstacles installés par Hélène.

— C'est super ! a-t-elle crié en passant devant la tribune. Fabuleux ! Je me sens légère comme une plume !

— Vous avez assez joué. À moi ! s'est exclamé Luc. Et ne venez pas me dire que l'équitation est réservée aux filles, ou je porte plainte pour discrimination !

— Il a raison, a confirmé la monitrice. J'ai lu quelque part que certains écuyers de haute école montent parfois en amazone les jeunes chevaux particulièrement difficiles ou délicats.

— Tout le monde sait, d'ailleurs, qu'Annam est une furie à demi sauvage, mais je vais la dompter de ce pas ! a fanfaronné Luc.

— Pourquoi un poulain accepterait-il mieux un cavalier en amazone ? ai-je interrogé, intriguée.

— Peut-être parce qu'il se sent contraint, au début de son dressage, par les jambes qui le pressent et l'encadrent, a répondu Hélène. Et plus le cheval bouge, plus le cavalier serre ses mollets pour se maintenir en selle ! Avec les fourches, il peut agir en douceur et en toute discrétion.

— Je suis là depuis la création du club, a dit Juliette en souriant, mais je ne t'avais jamais vue monter en amazone. C'est un très beau spectacle, qui me console presque d'avoir raté la séance de kayak jörring cet hiver !

— Quand Samantha a eu l'idée d'atteler Dalat devant l'un de nos kayaks ? a pouffé Alix. J'ai adoré !

— Il y avait bien cinquante centimètres de neige, a enchaîné Jessica, et le bateau glissait trop bien !

Hélène a consulté sa montre.

— Il se fait tard, a-t-elle constaté. Annam doit avoir envie de se reposer, n'est-ce pas, Luc ?

— Excuse-moi, ma belle, a murmuré ce dernier à l'oreille de la jument. Je n'ai pas vu le temps passer !

— Si on l'emmenait brouter dans le cross ? ai-je suggéré. Nous avons le temps, maman ne vient nous chercher qu'à sept heures.

— Bonne idée, a approuvé Hélène. Je vous accompagne. Moi aussi, j'ai besoin de souffler ! Déposez la selle sur la barrière, nous la reprendrons en passant.

Nous sommes descendus dans le champ des oliviers. Il avait plu abondamment après le 15 août et une belle herbe tendre avait repoussé.

— J'ai hâte d'avoir passé la rentrée, a soupiré Hélène. Au moins, je saurai où j'en suis.

— Les dernières nouvelles ne sont pas excellentes, a dit Juliette. Deux entreprises du coin vont fermer pour de bon. Cela représente des centaines de licenciements.

Hélène s'est mordu la lèvre.

— Je m'attendais au pire, mais pas aussi vite. Je vais perdre beaucoup d'adhérents… et comment en attirer de nouveaux ?

— J'ai peut-être une idée, ai-je glissé. Si tu créais une activité de monte en amazone ? Tu as déjà une selle, il suffirait d'en acheter d'autres, deux ou trois pour commencer. Tu proposerais des leçons en petits groupes aux mères de cavaliers qui ne travaillent pas ou qui ont des horaires flexibles, donc aux heures creuses.

— Les « Reprises des dames », a enchaîné Alix. Original et très chic… presque autant que La reprise des dieux du Cadre Noir de Saumur !

— Je m'inscris ! a lancé Juliette. En ce moment, je ne bosse pas le lundi. J'en parlerai à quelques collègues.

22

— Et pourquoi ne pas constituer des groupes mixtes ? a suggéré Jessica. Pas de ségrégation !

— Vous êtes adorables, a murmuré Hélène. Mais… c'est impossible !

— Je trouve l'idée de Léa excellente, a dit Juliette.

Elle s'est installée, jambes croisées, à l'ombre d'un olivier, et a fait signe à Hélène de la rejoindre.

— Ne reste pas au soleil, ton cerveau va bouillir. Tu as déjà bien trop réfléchi ces derniers temps !

Hélène s'est allongée dans l'herbe et a fermé les yeux. J'ai remarqué que ses traits étaient tirés ; une ride soucieuse se creusait entre ses sourcils et ses paupières étaient soulignées d'un cerne bistre. Évidemment, elle s'inquiétait. Elle avait créé le club des Garrigues à la force du poignet, avec l'aide de quelques amis, et presque sans capitaux ; à présent, le fruit de dix ans d'efforts se trouvait menacé.

— Oui, c'est une bonne idée, a-t-elle repris au bout de quelques minutes. Irréalisable, malheureusement.

— Pourquoi ? s'est étonnée Alix.

— Le matériel coûte très cher. Pour me lancer avec quelque chance de succès, il me faudrait au moins trois autres selles, sans compter les accessoires. Un investissement que je ne peux pas me permettre en ce moment...

— Combien coûte une selle d'amazone ? ai-je interrogé.

— Mille cinq cents. C'est le prix de base pour un équipement de bonne qualité. Ce qui fait un total de quatre mille cinq cents euros, et je n'ai pas cette somme en caisse. Je suis à sec ! Cette année, il a fallu refaire la lisse de la carrière, l'assainissement, plusieurs boxes, les obstacles du cross... Je comptais sur une bonne saison pour me renflouer, mais c'est mal parti !

Juliette a posé une main apaisante sur son bras.

— La crise frappe un peu partout. Au labo aussi, on commence à parler de restructuration. Je ne sais pas si j'aurai encore un job à Noël ! Mais revenons à nos moutons, si j'ose dire. Tu peux prendre un emprunt bancaire, que tu rembourseras en deux ou trois ans.

— Tu rêves ! a jeté Hélène avec une violence surprenante. Les banques se font tirer l'oreille pour le moindre prêt, par les temps qui courent. Et si je fais faillite ? Qui remboursera ?

— Ton terrain a de la valeur…

— Je ne *veux* pas vendre. C'est le patrimoine d'Alix ! Si je dois ne lui laisser que des dettes…

Sa voix tremblait. Alix a éclaté d'un rire forcé.

— Arrête, maman ! D'abord, tu n'es pas encore morte ! Et puis, je saurai me débrouiller !

Hélène a insisté, les larmes aux yeux.

— Mais si tu veux un jour reprendre le club…

— Maman…

Alix a pris les mains de sa mère entre les siennes.

— Tu sais très bien ce que je veux : être pianiste.

— C'est une carrière tellement aléatoire[1]…

___

1. Voir En Selle ! t. 20, *Rêves de gloire*.

— Si ce que tu m'as raconté est vrai, tu as quitté il y a quinze ans un poste salarié pour venir t'installer ici et monter ta propre affaire, avec un bébé sous le bras – moi – et pas un sou en poche. Ce n'était pas aléatoire, ça ?

Juliette a cueilli une herbe folle et l'a agitée sous le nez d'Hélène en riant.

— Un point pour Alix !

— Et si je ne deviens pas concertiste, je pourrai toujours enseigner la musique, a continué cette dernière. J'adore les chevaux, tu le sais très bien, mais je n'y consacrerai pas ma vie. Le club, c'est *ta* vie. À toi de décider si tu veux prendre des risques ou non.

J'ai perçu le sursaut, aussitôt réprimé, d'Hélène.

— Elle a raison, a dit Juliette.

— Si tout le monde est contre moi…, a grommelé la monitrice. Mais comment attirer de nouveaux adhérents ? Si les quatre selles d'amazone prennent la poussière sous le hangar, je ne serai guère plus avancée !

Luc et Jessica, tenant Annam en longe, revenaient vers nous.

— Ça, c'est le domaine de compétences de Léa, a déclaré ma sœur, qui avait entendu la dernière remarque d'Hélène. Tu te souviens de ses exploits médiatiques quand il a fallu sauver le refuge de Florence[1] ? Bon, d'accord, elle a surtout dragué un jeune et beau journaliste...

Je lui ai lancé une motte de terre qui a éclaté sur sa tête, la couvrant de poussière.

— Aïe ! Espèce de brute ! Dire que j'allais chanter tes louanges en ajoutant que tu avais vraiment le sens de la communication et le génie du buzz ! N'espère plus aucun compliment de ma part !

Sans me laisser déconcerter, j'ai énuméré :

— Créer un site pour le club, faire passer l'info par la Fédération, le comité régional, les municipalités, les offices de tourisme, les comités d'entreprise... Inviter les correspondants des journaux locaux à une démonstration...

— Et pourquoi pas une journée portes ouvertes, comme à la Vallée de l'espoir ? a suggéré Alix. C'est quand, la fête du cheval ?

— Mi-septembre, a répondu Hélène. Dans trois semaines. C'est un peu juste !

— Nous pouvons nous entraîner l'une

---

1. Voir En Selle ! t. 21, *La Vallée de l'espoir*.

après l'autre sur ta selle, a dit Jessica, toujours pratique. Dès que tu en auras acheté d'autres, nous préparerons un carrousel à quatre.

— Maman nous confectionnera des costumes, ai-je enchaîné, me prenant au jeu. Elle n'a pas d'engagement au théâtre en ce moment. Nous éblouirons les spectateurs, et ils s'inscriront en masse !

— Attendez, les filles, a objecté Luc. Vous avez bien dit *un carrousel à quatre* ?

— Oui, a répondu Alix. Où est le problème ?

Luc, arborant un sourire narquois, s'est planté devant elle.

— Le problème, c'est que je suis un garçon. G-A-R-Ç-O-N, Alix. Tu vois ce que je veux dire ? Je trouve très amusant de monter en amazone, mais m'exhiber en robe longue et gants blancs… Je déclare forfait.

— Je ne te croyais pas à ce point esclave des modèles sexuels dominants, lui ai-je lancé pour le taquiner.

— Désolé de te décevoir, Léa. C'est non.

Jessica a haussé les épaules.

— On se débrouillera. Des filles, il n'y a que ça dans les clubs hippiques.

— Environ quatre-vingts pour cent des cavaliers sont des cavalières, avons-nous psalmodié en chœur.

— Vous parlez comme un rapport de la Fédération, a souligné Hélène, dont le visage semblait moins crispé.

Manifestement, mon idée faisait son chemin.

— Tu es vraiment prête à te charger de la communication, Léa ? m'a-t-elle demandé avec une pointe d'anxiété. C'est une tâche très lourde ; je sais que tu auras beaucoup de travail cette année et je ne voudrais pas empiéter sur tes études. D'autre part, je… je ne peux pas te payer.

— Tu plaisantes, j'espère ! Je dois à ce club, et à toi, certains de mes meilleurs souvenirs d'enfance. Si je peux aider, maintenant… C'est normal, non ?

Hélène m'a pris la main et l'a serrée.

— Pas pour tout le monde, Léa, a-t-elle murmuré. Pas pour tout le monde.

4

— Où est passé mon filet ? Qui a pris mon filet ? Je suis à la bourre !

Jessica est sortie de la sellerie en courant, sa bombe sur la tête.

— Si tu commençais à te préparer à l'heure, lui ai-je fait remarquer, tu serais un peu plus zen… et nous aussi ! Tu nous assourdis avec tes cris de perruche !

— Perruche toi-même ! Je suis sûre que tu as piqué mon filet neuf pour le mettre à Saigon !

Elle s'est précipitée vers mon cheval, dont elle a inspecté le harnachement avec fébrilité.

— Fausse accusation, ai-je répondu sans bouger d'un pouce. J'utilise *mon* matériel de pansage, *ma* selle et *mon* filet, que je range

31

avec soin, *moi*, en sorte que je les retrouve à chaque séance !

— Tu es injuste, Léa, a protesté Alix, qui démêlait les crins de Mékong. Jess a rangé son filet à sa place hier. J'étais avec elle, je peux en témoigner, Votre Honneur.

— Moi aussi, a confirmé Luc. Je me suis même dit que les miracles, ça existait, après tout… Aïe ! Non, Jess, pas d'attaque sauvage à l'étrille américaine ! Pitié !

Il a fait mine de s'enfuir vers la carrière.

— En selle ! a crié Hélène depuis la porte ouverte du bureau. Arrêtez de papoter !

J'ai détaché le licol de Saigon avant de le conduire au milieu de la cour pour resserrer la sangle. La reprise de dix-sept heures – la dernière de la journée – allait commencer. Une trentaine de jeunes cavaliers avaient défilé au club depuis le matin, et la dalle bétonnée qui s'étend devant les boxes offrait le spectacle d'un chaos presque total : brosses éparpillées, boîtes de pansage ouvertes, carottes à demi rongées, bandes de repos déroulées traînant dans la poussière, crottins, cravaches, et même un portable et un débardeur !

— Regarde ce chantier ! a lancé Luc en

réglant ses étriers. C'est dégoûtant ! Quand j'ai commencé à monter, il y a bien long-temps, ma bonne dame, les débutants se tenaient un peu mieux ! C'est tout juste si on ne passait pas le plumeau sur les solives des boxes...

Je n'ai pas pu m'empêcher de rire.

— Tu exagères ! C'est quoi, ce discours de vieux prof ? Je me souviens très bien, moi, que tu oubliais systématiquement de refermer le pot de graisse à pieds, et que ça mettait Hélène sur les nerfs !

— OK, OK. Mais je n'ai jamais laissé la dalle dans cet état.

— C'est vrai, ai-je reconnu. Et Hélène a tellement de travail au bureau, après les cours, qu'elle ne peut pas en plus surveiller les gamins !

— On pourrait le faire, a suggéré Luc. Après tout, c'est notre club, non ? Je vais les éduquer, moi, les nains de jardin... Tu vas voir !

— Et si on commençait par être à l'heure pour le début de la reprise ? a rétorqué Alix. Sinon, la leçon de politesse sera pour nous !

Nous nous sommes dirigés, au pas, vers la carrière.

— Quand je pense que lundi, c'est la rentrée ! a soupiré mon amie. Je n'ai pas vu l'été passer...

— Presque tout le monde est là, ai-je constaté. Les grands, je veux dire : Michel, Manon, Joëlle, Géraldine...

— Il y a même quelques nouveaux, a remarqué Luc. Tu connais cette fille ? Sa tête ne me dit rien.

La cavalière qu'il désignait montait Chaoan, une jument baie fine et élégante. Très concentrée, elle commençait sa détente au pas, enchaînant les figures de manège pour assouplir sa monture. Je l'ai suivie des yeux pendant qu'elle exécutait une épaule en dedans[1] le long de la barrière.

— Elle monte bien. Je l'ai déjà vue, mais je ne me rappelle plus son nom... Attends, si ! Agathe. Elle a fait un stage cet été pour passer son Galop 6. Tu n'étais pas là, Luc.

Hélène, qui arrosait la carrière encore très poussiéreuse en cette fin d'été, se rapprochait de nous. Nous savions tous qu'elle détestait les bavardages pendant les reprises, aussi me suis-je écartée de Luc. J'ai repris mes rênes et j'ai commencé par faire le tour

---

1. Épaule en dedans : exercice d'assouplissement.

de la carrière au pas, attentive à laisser Saigon étendre son encolure et à ne pas gêner le libre mouvement de son balancier, tout en gardant un contact léger avec sa bouche. Le bel alezan à la crinière claire montrait souvent un peu de raideur en début de séance ; il avait besoin d'une longue détente.

— *Tous* les chevaux ont besoin d'une longue détente, m'avait dit un jour Hélène. Si je m'écoutais, elle durerait une bonne demi-heure. Ensuite on travaille sérieusement pendant un quart d'heure, et retour au calme, assouplissements, extensions d'encolure pendant le quart d'heure restant. C'est le meilleur système pour faire progresser un cheval sans le dégoûter ni le contraindre. Mais tu imagines la tête de certains propriétaires ?

— Ceux qui galopent dès qu'ils sont dans la carrière ? avais-je demandé.

— Ceux-là ne restent jamais longtemps au club – heureusement ! Je leur mène la vie trop dure ! Il n'y a pas de place ici pour les gens qui ne respectent pas les chevaux.

Jessica est arrivée avec cinq bonnes minutes de retard. Haiphong portait l'un des filets de rechange du club, fait de pièces de cuir dépareillées, et sa cavalière arborait une mine renfrognée.

— Jess, tu as oublié de mettre les protections, lui a signalé la monitrice.

— Mais on ne va pas sauter ! Et je n'ai même pas commencé la détente ! On m'a volé mon filet, et…

— Pas d'accusations gratuites, a coupé Hélène, et pas d'excuses. Retourne chercher les guêtres de ton cheval. Il s'est blessé lors du dernier concours, je te l'ai dit. Je ne veux pas qu'il risque une atteinte[1].

— Autant ne pas monter du tout, alors, a ronchonné ma sœur.

Elle a fait demi-tour et est repartie à grands pas vers les écuries, traînant Haiphong qui semblait se demander pourquoi on lui imposait ces allées et venues inutiles.

— Jess pique sa colère, a commenté Alix. Ça faisait longtemps…

— Elle va se calmer, a dit Hélène. C'est quoi, ce proverbe, déjà ? « Chassez le naturel, il revient au galop »… Bon, au travail ! Les chevaux ont été au repos pendant presque trois semaines, donc nous allons nous

---

1. Atteinte : petite blessure.

concentrer sur la souplesse. Travail de trois pistes, au pas et au trot !

Le lundi matin, j'ai repris le chemin du lycée avec la désagréable impression de redoubler. Ce n'était pas le cas, bien sûr, mais… J'aurais dû commencer mes études supérieures comme on se lance dans une aventure nouvelle et excitante. C'est du moins ce que j'avais toujours imaginé. Un nouveau lieu, de nouveaux visages, une nouvelle vie. Là, c'était juste… la routine. Le même bus, les mêmes rues, la même cour, les mêmes têtes, ou presque.

— Léa… Tu t'appelles bien Léa ?

La voix était douce, mal assurée. Un jean tout simple, un tee-shirt blanc, des cheveux noirs, frisés, des yeux sombres soulignés d'un trait de khôl…

— Bonjour ! Je ne t'avais pas reconnue…

C'était Agathe. Elle a ri.

— J'hésitais aussi. La tenue d'équitation, ça change une fille !

— C'est vrai. Au club, on se ressemble toutes.

— Oui… enfin, pas moi. On me repère assez facilement.

J'ai regardé son visage couleur de bronze clair et éclaté de rire à mon tour.

— Je parlais du look général ! Ça te va bien, les cheveux lâchés.

— Je les attache pour monter, sinon je ne peux plus les coiffer, après... Tu entres en terminale ?

— Non, en hypokhâgne.

— Tu es un cerveau, alors ! Je suis impressionnée ! Moi, je suis en première L, option arts plastiques. C'est ma première année scolaire en France métropolitaine.

— Où habitais-tu, avant ?

— En Guadeloupe. En principe, les programmes sont les mêmes, donc je ne devrais pas avoir trop de mal à m'adapter. Enfin, c'est ce que m'a dit la CPE. Les gens ne sont jamais avares de bonnes paroles avec moi. Au début.

— Léa !

L'arrivée d'Alix apportait une diversion bienvenue. Qu'avait voulu dire Agathe ? Avait-elle remarqué des attitudes ou des comportements racistes chez les gens qu'elle avait côtoyés depuis son arrivée dans la région ? « On se ressemble toutes » : j'avais lâché cette remarque sans intention particulière. Avait-elle pu mal l'interpréter ?

— Je suis contente de te voir ! s'est exclamée Alix. C'est ma rentrée à la grande
école ! J'ai mal au ventre... le trac.
À mon âge ! C'est pathétique !

— On va pouvoir se serrer les coudes,
toutes les trois, ai-je affirmé. On mange
ensemble ? Agathe, tu es libre ?

— Je ne connais pas encore mon emploi
du temps, mais oui, pourquoi pas ?

Elle me dévisageait, une lueur d'amuse-
ment dans les yeux – comme si elle avait lu
dans mes pensées.

— Je vous ai entendues parler du carrousel d'amazones que vous préparez, samedi,
a-t-elle enchaîné. Si vous cherchez toujours
une quatrième...

— Formidable !

Même à mes propres oreilles, mon
enthousiasme sonnait faux. Et pourtant,
j'étais vraiment contente !

— On commence à répéter mercredi,
alors ? Après la reprise ?

Alix, elle, semblait parfaitement à l'aise.

« Stop, Léa. Ne te prends pas la tête... Tu
en fais trop, là. Pourquoi ? »

La sonnerie m'a dispensée de poursuivre
mes réflexions.

5

À notre troisième répétition, nous avions acquis assez d'aisance pour évoluer en amazone aux trois allures et sauter de petits cavalettis. Hélène avait composé pour nous une chorégraphie de figures simples, la plupart au trot ou au galop, avec passage croisé d'un obstacle.

— Mettez-vous en reprise derrière Mékong, nous allons travailler la « Grande Aiguille » !

Cette figure de carrousel était l'une de mes préférées : de front, les cavaliers, au botte à botte, tournaient autour d'un axe central. Le cheval du centre devait garder un pas rassemblé et, lorsque nous étions nombreux, ceux de l'extérieur prenaient le galop. L'effet était spectaculaire.

Pour le quadrille des amazones, nous avions choisi deux alezans et deux bais. Mékong et Annam se ressemblaient comme deux gouttes d'eau (parfois, les cavaliers se trompaient en allant les chercher dans leurs parcs) et Chaoan s'appariait à merveille avec Khalifa, une jument lusitanienne légèrement plus grande mais de la même robe.

— Jess, fais avancer Khalifa, tu prends du retard ! Aligne-toi sur Chaoan !

— Je manque de muscles, a grommelé ma sœur. Trop de chaise longue pendant les vacances ! Et puis, je ne suis pas aussi douée qu'Agathe en dressage !

— Je crois surtout qu'elle est plus concentrée, a répondu Hélène.

Agathe était bonne cavalière. Elle n'avait pas un niveau technique exceptionnel, mais beaucoup de « sentiment », comme disait Hélène. Au club, nous échangions quelques mots avant et après les reprises – parler de chevaux, c'était facile. Au lycée, j'avais l'impression qu'elle m'évitait. Pourtant, je lui avais présenté certains de mes amis, j'avais essayé de la mettre en valeur... Le moindre mot sorti de ma bouche l'agaçait, comme si elle m'avait soupçonnée d'hypocrisie. En revanche, elle acceptait avec humour les propos directs de ma sœur.

— Recommencez la figure et gardez une distance raisonnable ; sinon, les chevaux rebondissent les uns sur les autres et le rythme est rompu !

— Essaie de ne pas me coincer la jambe contre ta selle, cette fois, a dit Agathe à Jessica.

— C'est toi qui me pousses avec tes grands pieds, a gémi celle-ci avec une parfaite mauvaise foi.

Nous sommes parties au trot, nous séparant pour nous croiser au point de rencontre des diagonales, là où se dressait le vertical. Nous avons franchi l'obstacle dans l'ordre : Mékong, Annam, Chaoan et Khalifa. Le saut en amazone nous obligeait à rester assises et à encaisser la détente des postérieurs avec les reins, les épaules reculées. J'aimais beaucoup cette sensation de passage de vague, comme en kayak !

— Nous pourrions enchaîner les croisements un peu plus vite, a suggéré Alix.

— Pour accentuer le mouvement de vague..., ai-je ajouté, rêveuse.

— Ne cherchons pas à comprendre, a soupiré Jessica. Madame aime les images poétiques !

— Et pourquoi pas au galop ? a proposé Agathe. Avec changement de pied en fin de diagonale ?

Hélène a acquiescé : elle commençait à se prendre au jeu.

— Oui, pourquoi pas ? Soyons fous !

Les chevaux ont apprécié cette cadence plus rapide. Après un ou deux passages, nous avons pu les mettre en « pilotage automatique » et les laisser régler eux-mêmes leurs foulées. Nous gardions seulement les rênes ajustées pour éviter les collisions sur l'obstacle.

— Maintenant, nous allons enchaîner le carrousel en musique…

— Qu'est-ce que tu nous as choisi ? ai-je demandé à Hélène.

— Une chanson de Barbara, pour changer des grands airs classiques : *Mille chevaux d'écume*. J'ai coupé le paragraphe du milieu qui est trop lent.

— Et pas très gai, ai-je renchéri. Je connais bien cette chanson, ma mère passe l'album en boucle quand elle travaille !

— Ah bon ?

Jessica avait l'air de tomber des nues.

— Si tu n'étais pas scotchée à ton baladeur toute la journée, tu entendrais parfois des échos du monde qui t'entoure...

— Tu exagères, il m'arrive de parler !

— C'est bien ce que je disais : tu n'entends rien !

— Ça suffit, les filles ! a lancé la monitrice. Enchaînez au lieu de vous déchaîner l'une sur l'autre !

Elle a mis la chaîne en marche pendant que nous gloussions de son bon mot.

Mille chevaux d'écume,
Galopent,
Galopent à la lune,
Galopent,
Au-dessus des dunes.
Des chevaux lumières
Claquent leur crinière...

Entraînés par la voix de la chanteuse, les chevaux se mouvaient en rythme avec la musique, épousant d'eux-mêmes les changements de tempo. Nous commencions à maîtriser l'effet d'ensemble ; j'étais fière de nous ! Hélène devait partager mon opinion, puisqu'elle ne nous a pas demandé de recommencer...

En rentrant aux écuries, j'ai voulu consulter mes messages, mais mon portable, que j'avais enfoui au fond de ma boîte sous mon matériel de pansage, restait introuvable. J'ai levé un regard soupçonneux vers Jessica, qui a nié avec indignation.

— Tu as dû l'oublier à la maison !

— Non ! Maman m'a appelée juste avant la reprise pour me demander d'acheter du pain...

J'ai fouillé la sellerie, vidé mes poches et la malle que je partageais avec ma sœur, interrogé toutes les personnes présentes, en vain. Mais je n'ai pu pousser mes recherches plus avant, car Juliette, dont c'était l'anniversaire, nous invitait à partager une bouteille de cidre au club-house. Hélène avait préparé une tarte au citron, dorée à point.

— Je ne vous l'ai pas dit plus tôt, a-t-elle déclaré avec une certaine réticence, mais le filet de Jess et le portable de Léa ne sont pas les seuls objets « envolés ». Depuis plusieurs semaines, des propriétaires se plaignent de ne pas retrouver un tapis de selle, une martingale, une sangle, et, hier encore, une chambrière…

J'ai levé mon verre : des centaines de bulles fines et légères ont entamé une course effrénée vers la surface du liquide ambré.

— Moi, j'ai perdu une paire de gants neufs, a murmuré Juliette. Des gants en cuir très fin, couleur beurre frais. J'y tenais beaucoup !

— Je ne me promène pas avec un trousseau de clés, a continué la monitrice en coupant la tarte. Jusqu'à présent, quand je m'absentais, je fermais seulement le tiroir où je garde les documents importants. Le club-house, les bâtiments de rangement, l'atelier et même les selleries sont toujours restés ouverts. Je n'ai jamais constaté le moindre vol !

C'était vrai. Les objets perdus étaient plutôt égarés ou mal rangés puisque tous réapparaissaient un beau jour, derrière une malle ou dans un endroit incongru (un box, par exemple, ou encore la cabane de la pompe).

Raymond, le père d'un des rares garçons inscrits au groupe de voltige, qui passait pas mal de temps au club (Hélène appréciait ses talents de bricoleur et lui trouvait toujours de nouvelles occupations), a suggéré :

— Un rôdeur ?

— Je ne pense pas, a dit Hélène. Trop de gens vont et viennent, un inconnu ne serait pas passé inaperçu.

— Et s'il était venu de nuit ?

— Les chiens auraient donné l'alarme.

— Ne nous dis pas qu'il y a un voleur parmi nous ! s'est exclamé Luc.

— J'ai bien peur qu'il ne faille en venir à cette conclusion...

L'appétit coupé, j'ai reposé ma part de tarte sur mon assiette.

— Je n'arrive pas à y croire... Nous connaissons tous les adhérents, ils se connaissent entre eux... On ne vole pas un ami !

Hélène a fait la moue.

— Un ami... Moi, je trouve que les cavaliers s'entraident moins qu'avant. C'est plutôt « bonjour, bonsoir, point ». J'ai un mal fou à mobiliser des volontaires pour améliorer les obstacles du cross, et ce n'est qu'un exemple.

— Ne raisonnons pas comme les vieux croûtons que nous sommes, a plaisanté

Juliette. Qu'as-tu décidé, Hélène, au sujet de ces vols ?

— D'ouvrir l'œil. Que faire d'autre ?

— Charmant, a lancé Alix. Tout le monde va surveiller tout le monde. Bonjour l'ambiance !

Depuis le début de cet échange, Agathe était restée silencieuse et immobile dans son coin. Elle n'avait pas touché à son gâteau.

— Tu ne dis rien… Qu'en penses-tu ? lui ai-je demandé.

Elle m'a jeté un regard hostile.

— Si j'avais un avis sur la question, ça ne changerait rien. On soupçonne toujours les mêmes !

6

— Jess, tiens-toi tranquille ! Je finis ta
jupe... Si tu n'avais pas accroché ton éperon
dans l'ourlet, hier...

La grimace de Jessica était éloquente.

— Maman ! Je ne peux pas monter en
amazone sans éperons ! Khalifa n'avance
pas... Dans un carrousel, si les chevaux
n'harmonisent pas leurs allures, c'est la
catastrophe !

— « Si les chevaux n'harmonisent pas
leurs allures » ? ai-je relevé avec malice.
Jess, la précision de ton langage m'éblouit !
Aurais-tu dérogé à tes principes et... ouvert
un livre ? Je rêve !

— Moque-toi ! Bien sûr que je lis, a
répondu ma sœur avec dignité. Mon bou-
quin est là, sur la table.

J'ai pris le mince volume.

— Et pas n'importe quoi ! me suis-je exclamée. Jess, je fais amende honorable : *La Princesse de Clèves* !

J'ai commencé à lire un passage au hasard :

— *Quel poison pour madame de Clèves, que le discours de madame la dauphine ! Le moyen de ne se pas reconnaître pour cette personne dont on ne savait point le nom ? Et le moyen de n'être pas pénétrée de reconnaissance et de tendresse, en apprenant, par une voie qui ne lui pouvait être suspecte, que ce prince, qui touchait déjà son cœur, cachait sa passion à tout le monde, et négligeait pour l'amour d'elle les espérances d'une couronne.* Je comprends que ton vocabulaire et ta syntaxe se soient améliorés !

— Tu ne trouves pas ces grands sentiments un peu démodés ? a demandé maman, taquine, tout en cousant à points serrés le volant de la grande jupe de Jessica.

— Non, a répondu ma sœur avec fermeté. Je trouve ça beau. Moquez-vous de moi si ça vous chante !

— Personne ne se moque de toi, ma chérie, a assuré ma mère. Et tout le monde a besoin de beauté. La culture n'est pas réservée à une élite !

Elle a coupé son fil avec ses dents.

— Tourne un peu, Jessica. Parfait ! Tu es splendide !

Pour la journée du cheval, qui a lieu chaque année, la plupart des centres équestres organisent une opération portes ouvertes. Des jeux animent la visite du club, des baptêmes poney pour les plus jeunes, quelquefois un petit concours interne. Des cavaliers font la démonstration de leurs talents : saut d'obstacles, dressage, éthologie... À ce programme, nous avions choisi d'ajouter une touche d'originalité : tous les membres du club, costumés et masqués, incarneraient un personnage historique ou romanesque (inutile de préciser que j'avais lancé l'idée, suivie aussitôt par Agathe). Je portais une robe de satin bleu glacier que ma mère avait cousue pour un spectacle sur la Révolution française ; ma perruque blanche, mon collier de faux diamants, les mouches de velours noir dont mon visage était constellé complétaient l'illusion. J'étais Marie-Antoinette, la reine guillotinée. Jessica avait adopté le personnage de Scarlett O'Hara et, coiffée d'une capeline à rubans, tourbillonnait dans sa crinoline à pois verts. Alix, en Carmen, arborait mantille de dentelle et robe espagnole à multiples volants. L'arrivée d'Agathe nous avait arraché un « oh » d'admiration : elle avait décidé d'incarner Catherine de Médicis, pionnière de la monte en amazone – cette reine de France aurait même inventé la selle à fourche pour pouvoir suivre son époux à la chasse, ce qui lui aurait valu de multiples chutes…

— Quelle robe magnifique ! Où l'as-tu trouvée ?

Alix a touché le velours rouge sombre, orné de galons et de perles. La chevelure frisée d'Agathe était ramassée sous une coiffe également brodée de perles ; une collerette de dentelle enserrait son cou, et sa jupe à vertugadin[1] s'ouvrait sur un jupon de soie vert tilleul.

— C'était à ma mère. Elle l'a portée pour un bal costumé quand elle avait mon âge. Ma tante a la même, mais les couleurs sont inversées : vert pour la robe, rouge pour le jupon. Je l'ai apportée pour le cas où quelqu'un serait en panne de costume. Je laisserai le carton au club-house. Savez-vous

---

1. Vertugadin : morceau de tissu que les femmes mettaient sous leur jupe pour la faire bouffer.

que seules les princesses et leurs suivantes avaient droit au rouge ?

— Non, ai-je répondu, intéressée. Pourquoi ?

— J'ai vu ça sur Internet... une histoire de loi somptuaire...

— C'est vrai, j'en ai entendu parler. Le port de certaines couleurs et de certains tissus était réglementé ; par exemple, les paysans et les artisans n'avaient pas le droit de porter de la soie, même en bouffants ou en rubans sur leurs habits. C'était le privilège des domestiques de grande maison, et...

— On dirait que Léa a trouvé une autre folle de son espèce, a coupé Jessica. Mesdames, à l'issue de votre conférence, vous voudrez bien vous acheminer vers les écuries, où vos chevaux vous attendent !

En riant, nous avons ajusté nos masques. Celui d'Agathe était complété par un volant de dentelle noire qui dissimulait entièrement son visage. Jessica et Alix avaient choisi de simples loups. Mon propre masque de satin blanc, couvert de paillettes, me grattait désagréablement.

— Je ne garderai pas ce truc sur la figure toute la journée, ai-je grommelé.

— Je croyais que c'était ton idée ? m'a lancé Jessica. Il faut assumer, ma grande !

Les chevaux, que nous avions toilettés plus tôt dans la matinée, étaient attachés à des anneaux devant les boxes. Hélène et Juliette ont vérifié les sangles, puis nous ont aidées à nous mettre en selle. Le volume de nos jupes nous gênait ; Agathe, ayant mal calculé son élan, a failli passer de l'autre côté du cheval. Jessica a retroussé sa crinoline, ce qui a provoqué l'hilarité de Luc, qui tenait Khalifa par les rênes.

— Tu te tiens bien mal, pour une jeune fille de bonne famille !

— Scarlett a tous les droits ! a rétorqué ma sœur en relevant le menton.

Les étriers étaient déjà réglés ; nous avons marché quelques minutes dans la cour, puis Hélène a donné le signal du départ. Nous devions défiler dans les rues de Puymarin. Une dizaine de cavaliers du club, costumés et masqués, nous suivraient, d'autres distribueraient des tracts annonçant les animations de l'après-midi.

— Ça, c'est de la bonne et vivante publicité ! a déclaré Juliette en reculant de quelques pas pour mieux contempler notre cortège. Si je cherchais quel sport pratiquer cette année, je me précipiterais au club !

— J'espère que beaucoup seront de ton avis, a murmuré Hélène. Croisons les doigts !

C'était jour de marché à Puymarin et le cours, ombragé de platanes, était envahi par une foule compacte et colorée. Un passage bordé de barrières métalliques avait été aménagé sur le côté pour permettre aux chevaux de défiler. Deux autres clubs de la région avaient préparé une parade : un groupe d'Indiens coiffés de plumes chevauchait des poneys pie, dont la robe était couverte de signes peints, et des cavaliers en tenue de concours, portant banderole et fanions, formaient un « carré » de trois chevaux. J'ai constaté avec soulagement qu'il n'y avait pas d'autres amazones : notre groupe n'en serait que plus remarqué.

Les enfants juchés sur les épaules de leurs parents nous adressaient de grands signes ; nous y répondions en souriant. Nos costumes, tous différents, ont fait sensation. Hué, un vieux shetland promu mascotte du club, suivait notre cortège, mené à la longe par deux « petites » en costume traditionnel provençal. Les grands paniers en paille accrochés à son bât contenaient tracts et affiches, que Jade et Audrey tendaient aux passants avec un sourire irrésistible.

— Où en est ta campagne de promotion ? m'a demandé Alix alors que nous passions devant la mairie.

— Ça avance. La correspondante de *La Provence* viendra cet après-midi assister à notre carrousel d'amazones. J'ai fait passer les infos sur le site de la Fédé, j'ai envoyé des tracts à tous les offices de tourisme du coin...

— Luc a assuré comme un pro pour les affiches, a précisé mon amie.

— On le sait, que ton bien-aimé est le meilleur... Non, Alix, ne rougis pas ! Ça jure avec ta robe. Il n'y a que pour le site du club que je rame un peu. J'ai du mal à utiliser correctement le logiciel et chaque opération me prend un temps fou. Je crois que je vais attendre les vacances de la Toussaint pour le fignoler ; en attendant, on peut toujours créer un profil Facebook, c'est facile et rapide. Par les groupes de cavaliers, on peut toucher des centaines de personnes.

Nous arrivions à l'extrémité du cours. J'ai fait volter Saigon et nous sommes reparties dans l'autre sens.

— Hélène veut que nous fassions un second passage vers midi, quand les retardataires arrivent sur le marché, a dit Agathe. Il y a un coin à l'ombre, vers la gare, où nous pourrons attacher les chevaux.

— Et ensuite, retour au club pour le pique-nique vietnamien ! a continué Jessica, les yeux brillants de plaisir anticipé. J'ai fait un détour par la cuisine, ce matin, pour m'assurer que les nems n'étaient pas empoisonnés…

— C'était courageux de ta part, l'a taquinée Alix. Et je suis sûre que tu t'es acquittée de cette mission avec conscience.

— Oh oui ! J'y ai goûté au moins trois fois !

7

Nathalie, la sœur d'Hélène (l'une des meilleures cuisinières que je connaisse), s'était surpassée : à l'ombre des chênes, de longues tables recouvertes de nappes blanches supportaient un incroyable choix de plats. Nems, rouleaux de printemps, bouchées à la vapeur, salades de légumes croquants, pâtés enveloppés de feuilles de bananier, petits pains fourrés, boulettes de riz parfumé, gâteaux permettaient à chacun de composer une assiette aux saveurs délicates. Il y avait de grands pichets de thé glacé, du vin pour les adultes, des cocktails de fruits frais.

— Avec cette jupe, je ne réussirai jamais à m'asseoir par terre, a gémi ma sœur. On est si bien sur l'herbe ! Et où sont les garçons ? Normalement, ils devraient m'apporter à manger, me proposer du thé, m'inviter à danser, être aux petits soins pour moi... C'est dans le film !

— Même pas dans tes rêves, ma grande, a rétorqué Luc en se resservant.

— Les bonnes manières se perdent, a commenté Agathe avec un sourire. Pour moi, c'est pire : vous devriez m'appeler « Majesté », vous incliner jusqu'à terre et embrasser l'ourlet de ma robe.

— Elles sont folles, a soupiré Luc. Mégalomanie galopante...

— N'oublie pas que je suis aussi reine de France, ai-je glissé.

— Et la Révolution française, alors ? Tu as perdu la tête ! Si j'ose dire... Toi, Alix, tu ne vois pas d'inconvénient à partager le repas d'un roturier de mon espèce ?

Alix ayant adopté le personnage de Carmen, Luc incarnait celui de don José, l'amoureux éconduit, réinterprété à sa manière : au lieu d'un uniforme, il portait une chemise blanche ceinturée d'une bande de tissu d'un rouge éclatant et un chapeau noir à fond plat d'allure vaguement espagnole.

— Quel manque d'originalité ! Ça fait couple, en plus, avait déclaré Jessica avec une moue dégoûtée dès qu'elle l'avait vu dans cette tenue.

— Tu crèves de jalousie, en fait ! Où est ton Rhett Butler ?

Munis de nos assiettes, nous nous sommes installés à l'ombre. Les autres cavaliers et leurs parents étaient disséminés sur la grande pelouse qui surplombait la carrière de dressage. Les jeux commenceraient vers deux heures de l'après-midi et le club serait alors ouvert au public. Nathalie avait prévu une buvette et des plats à emporter, ce qui contribuerait, je l'espérais, à renflouer un peu les caisses du club !

— C'est délicieux, a déclaré Agathe, la bouche pleine. Là où j'habitais avant, il y avait un restaurant asiatique, mais le chef était allemand et sa cuisine n'avait pas du tout le même goût ! Je connais mieux les plats créoles : les accras, le migan[1], le colombo de poulet servi avec des dombres[2]...

— La vraie cuisine de là-bas ! Formidable ! Tu sais les préparer ? Tu nous feras goûter ? me suis-je exclamée.

---

1. Migan : purée de bananes et de fruits à pain.
2. Dombres : petites boulettes de farine servies en accompagnement.

— Mais oui, Léa, a-t-elle répondu avec son habituel demi-sourire. Je sais faire la cuisine indigène. Je peux même danser avec une ceinture de bananes, pour le dépaysement…

Mortifiée, j'ai plongé mes baguettes dans mon bol de salade. Décidément, cette fille était un vrai hérisson ! Pourquoi interprétait-elle mal la moindre de mes phrases ? Je n'avais pas voulu être condescendante, mais lui faire plaisir…

« Ah, et puis zut. La prochaine fois, Léa, tais-toi, ça vaudra mieux. »

— Remettez vos masques ! Tous à vos postes !

Hélène frappait dans ses mains. J'ai jeté un coup d'œil à la montre que j'avais dissimulée sous la dentelle de ma manche.

— Deux heures moins cinq ! Vite, la liste !

Luc a sorti une feuille pliée de sa ceinture.

— Agathe, tu es à l'accueil jusqu'à trois heures et demie. Tu donnes les renseignements, tu distribues les feuilles de tarifs, tu prends les rendez-vous pour les leçons d'essai.

— OK. Au bureau ?

— Non, c'est trop loin de l'entrée. Hélène a installé une table à côté de la sellerie. Tu seras à l'ombre, en plus, veinarde ! Alix et moi, aux jeux, pour aider les petits qui ne tiennent pas très bien en selle ! Léa, au micro pour présenter chaque activité. C'est le moment de trouver les mots justes ! Et Jess… Jess… je ne te vois pas sur le planning.

— Jess, avec moi, a dit Juliette en surgissant derrière Luc qui s'est retourné et, de surprise, a laissé tomber sa feuille.

Juliette, ôtant son haut-de-forme, s'est inclinée en un salut comique. La taille prise dans une redingote gris perle, elle portait un pantalon à sous-pieds, un gilet de soie et une énorme cravate blanche. Au-dessus de sa lèvre supérieure, elle avait dessiné une moustache au crayon noir ; ses yeux, derrière le loup de velours, riaient.

— Rhett Butler, je présume ? a avancé Luc.

— Pas du tout : Arsène Lupin !

— Cher Arsène, a roucoulé Jessica, je sens que nous allons former une équipe du tonnerre ! Quelle est notre mission ?

— La buvette !

— Si j'étais vos clients, je me méfierais !

a plaisanté Luc. Deux fripouilles comme vous… Ils vont se faire délester de leurs économies.

— Il n'y a pas de voleurs dans le staff du club des Garrigues, a dit Hélène en cochant une ligne sur sa propre liste. Du moins, je l'espère. Même pas Arsène Lupin…

— Exact, a approuvé Juliette. Il a pris sa retraite. Je pense qu'à notre époque un tel personnage jouerait en Bourse, plumerait les traders et investirait ses bénéfices dans l'humanitaire…

— Et toi, maman, a demandé Alix, qui es-tu ? J'ai l'impression de reconnaître ce tissu.

— Ça ne m'étonne pas : c'est la nappe de ton arrière-grand-mère. Magnifique tunique grecque, non ? Il ne me manque plus qu'une couronne d'olivier, si tu veux bien m'en tresser une. Je suis Antigone !

De la tribune, j'ai commenté les jeux : relais, béret, horse-ball, pony-foot ! Devant moi cavalcadaient Ivanhoé et Arlequin, Pocahontas et Blanche-Neige, Louis XIV et Zorro ; les cris joyeux fusaient, les curieux venus en famille encourageaient les équipes, riaient, admirant la vélocité des poneys et l'agilité des cavaliers. D'autres patientaient pour un « baptême » avant de poser un petit bonhomme de deux ou trois ans sur la selle de Hué, qui recevait les caresses dont on le comblait avec la dignité d'un vieux sage. Du coin de l'œil, je voyais que Juliette et Jessica, à la buvette, ne chômaient pas. L'après-midi commençait bien !

Vers trois heures, les familles ont commencé à se disperser. Le public attiré par le carrousel d'amazones, annoncé à grand renfort d'affiches, était différent : adolescents et adultes. Je guettais l'arrivée de la correspondante de *La Provence*. Un bon article, avec photo, pouvait faire la différence.

Nous devions commencer à préparer les chevaux à trois heures et demie ; à ce moment-là, je passerais le micro à Juliette, qui céderait sa place à Cécile, l'une des élèves de la reprise d'adultes. À trois heures vingt-cinq, Jessica a passé sa tête à la porte.

— La journaliste est là, a-t-elle soufflé. Hélène est en train de lui parler du club. On y va ?

Je l'ai suivie jusqu'aux écuries. Luc avait déjà attaché Mékong, Khalifa, Annam et Chaoan devant les boxes. Il sortait de la sellerie, portant les boîtes de pansage.

— Au boulot, mesdemoiselles ! Ôtez vos gants blancs et empoignez l'étrille ! Et que ça brille ! Je vais vous aider, a-t-il ajouté, magnanime.

— Tu es trop bon, ai-je grommelé. Et si tu allais chercher les selles ?

Il a cligné des yeux, l'air étonné.

— Les selles ? J'allais justement te demander où vous les aviez rangées.

— Dans la sellerie, bien sûr ! Tu en viens !

— Elles n'y sont pas. Sauf la vieille…

— Tu as de la bouillie dans les yeux, mon garçon ! Un abus de thé glacé, peut-être ?

Haussant les épaules, je suis entrée dans la sellerie et j'ai appuyé sur le bouton électrique.

— Regarde ! Nous les avons posées sur les porte-selles du fond, et…

Ma voix s'est éteinte alors que je découvrais les trois emplacements vides.

Les selles avaient disparu !

8

Je me suis précipitée à la buvette pour prévenir Juliette.

— Tu es sûre de ce que tu avances ? Vous avez regardé dans les autres selleries ? m'a-t-elle demandé.

— Oui. Nous avons fouillé aussi le club-house, le hangar... et même le bureau ! C'est une catastrophe ! Et la journaliste qui est là !

Juliette a jeté un coup d'œil vers la carrière.

— Olga ! Tu peux venir un instant, s'il te plaît ?

Peu après, Olga (l'une des plus fidèles cavalières du club, à qui Hélène confie parfois des « missions de relations publiques » auprès de certains cavaliers ou de leurs parents), ayant entraîné la journaliste vers le parcours de cross, entreprenait de lui conter d'innombrables anecdotes sur la vie du club.

— Nous avons au moins gagné un répit, a soupiré Juliette.

En apprenant la nouvelle, Hélène a blêmi. Sans un mot, elle a foncé vers le bureau. Nous osions à peine échanger un regard. Quand elle nous a rejoints, elle avait les larmes aux yeux.

— Le vol n'est pas couvert par l'assurance, a-t-elle déclaré d'une voix atone. Il n'y a pas eu effraction.

— Il faut porter plainte, a suggéré Juliette. Les endroits où se pratique la monte en amazone ne sont pas si nombreux, l'enquête devrait être rapide !

— J'ai déjà appelé la gendarmerie. En l'absence d'effraction, ils ne se déplacent même pas.

— Alors, qu'est-ce qu'on va faire ? a demandé Jessica. Tout le monde nous attend !

J'aurais voulu lui dire de se taire. Hélène a éclaté de rire, un rire fêlé, effrayant.

— Qu'est-ce qu'on va faire ? a-t-elle répété. Ma pauvre Jess, si je le savais !

Sa main droite a tâtonné dans l'étoffe blanche de sa tunique, est remontée jusqu'à ses cheveux. Elle a arraché la couronne d'olivier qui la coiffait et, d'un geste rageur, l'a jetée à terre.

— Maman !

Ignorant la main tendue de sa fille, Hélène a fait volte-face, suivie par Juliette. La porte du bureau a claqué ; nous avons entendu des éclats de voix. Dix minutes plus tard, la monitrice, en vêtements de ville, jetait un sac de voyage dans le coffre de son 4 × 4. Sans un regard pour nous, elle a démarré en trombe, soulevant un nuage de poussière.

— Mais elle… elle ne peut pas pa… partir comme ça ! a bégayé ma sœur, stupéfaite. Et nous ?

Juliette est sortie du bureau à son tour, la mine préoccupée. Elle s'est approchée d'Alix et l'a serrée affectueusement dans ses bras.

— Ne t'inquiète pas, surtout : ta mère est à cran. Cette histoire de selles, c'est la goutte d'eau qui fait déborder le vase ! Je crois qu'elle a besoin de prendre un peu de recul. Je resterai avec toi ce soir. En attendant, ne gâchons pas le reste de cette journée ! a-t-elle conclu avec un entrain forcé.

Alix a réagi aussitôt.

— Bon, la fête continue, paraît-il. Alors allons-y !

— Où ? a demandé Luc.

— Tout le monde attend le quadrille ? Nous allons le présenter ! Sans selle, ce sera plus drôle... Moi, j'ai vraiment envie de m'amuser. Pas vous ?

Une question qui sonnait comme un défi...

Les cavaliers du club s'étaient rassemblés autour de nos chevaux et commentaient la disparition des selles. La rumeur n'avait pas tardé à se répandre.

— Je ne sais pas si je vais laisser mon cheval ici, a maugréé l'un des propriétaires. Je tiens à mon matériel !

— Il faut dire que la clientèle des clubs n'est plus ce qu'elle était, a renchéri Raymond, le bricoleur. On y rencontre des voyous, des étrangers...

Tous les regards ont convergé vers Agathe.

— Les étrangers vous saluent, monsieur, a-t-elle lancé en se dirigeant vers le club-house.

Juliette, qui ajustait la muserolle de Khalifa, a sursauté.

— C'est intolérable ! a-t-elle crié, libérant d'un coup son émotion et sa colère. Des étrangers ? Mais c'est vous qui l'êtes, pour nous ! Je vous prie de quitter cet endroit sur-le-champ !

— C'était mon intention, a rétorqué Raymond avec un sourire en coin. Je vous souhaite bien du plaisir avec vos cas sociaux !

J'ai couru au club-house. Agathe avait déjà ôté son costume et commencé à rassembler ses affaires.

— Tu ne vas pas partir, toi aussi ! ai-je protesté. Et le quadrille ? Tu fais le jeu de cet affreux bonhomme...

— J'ai tellement l'habitude de ce genre de réflexions qu'elles ne me touchent même plus, a-t-elle déclaré sans me regarder. Mais je suis fatiguée de me battre contre la bêtise. Je m'en vais.

« On soupçonne toujours les mêmes » : je commençais à comprendre. Le racisme était-il à ce point ancré dans notre société soi-disant « évoluée » ? Était-ce un hasard si Agathe était la seule Black inscrite au club ? Il y avait quelques enfants d'origine asiatique, mais pas de Maghrébins, sauf dans les groupes accompagnés par des éducateurs ou des animateurs de centre aéré. L'équitation, contrairement à ce que j'avais cru, n'était pas encore un sport populaire – et surtout pas représentatif de la population française.

Agathe venait de disparaître derrière les écuries quand Alix est entrée en trombe.

— Qu'est-ce que vous fabriquez là-dedans ? On vous attend !

— Comme tu le vois, je suis seule, ai-je souligné. Agathe nous a lâchées ! Sans elle, on ne peut rien faire. Tu imagines un quadrille à trois ?

— Et Luc ? Il est déjà monté en amazone, et il nous reste la vieille selle de maman ! Tentons le tout pour le tout...

Un quart d'heure plus tard, nous descendions dans la carrière. Luc, qui avait revêtu la tunique d'Hélène, campait une Antigone musclée mais pleine de dignité avec son bandeau vert en guise de couronne. Pendant que nous détendions les chevaux, Juliette a pris le micro afin d'expliquer la situation, sans donner trop de détails. Elle a précisé que Luc remplaçait une cavalière au pied levé et demandé l'indulgence du public.

Une salve d'applaudissements a salué le courage d'« Antigone ».

Nous avions décidé de transformer notre quadrille en numéro comique, aussi nous comportions-nous comme des débutants. Alix et Jessica donnaient de grands coups de talon inefficaces en levant leurs jambes presque à l'horizontale, et je tanguais sur ma monture comme si j'étais sur le point de perdre l'équilibre. Je me livrais à ce petit jeu avec tant de cœur que j'ai bel et bien failli tomber lors d'une transition du galop au trot. Étant à cru, je n'ai pu me raccrocher qu'à l'encolure. Des rires ont fusé, mais Luc nous a vite volé la vedette.

Jessica, qui se trouvait devant lui dans la plupart des figures, se retournait pour lui souffler les éléments de la chorégraphie. Les jeunes cavaliers du club répétaient ses instructions en chœur : « À gauche », « À droite », « Au galop ». Le public riait lorsque Luc partait dans la mauvaise direction, puis corrigeait sa trajectoire en roulant des yeux affolés… Au passage des obstacles, il avait tendance à avancer le buste, comme il avait appris à le faire avec une selle normale. En amazone, il ne pouvait se mettre en équilibre sur ses étriers. Au premier saut, il s'est donc retrouvé le buste écrasé sur les fourches.

— En arrière ! a lancé Juliette dans le micro.

Pour l'encourager, le groupe des jeunes supporters criait « Olé » après chaque franchissement d'obstacle. Nous avons terminé notre présentation sous un tonnerre d'applaudissements ; nos chevaux, affolés par le bruit et l'agitation du public, se sont égaillés dans la carrière en multipliant les sauts de mouton. Après avoir repris le contrôle de nos montures, nous sommes sortis en agitant les bras mais sans nous approcher du public, par prudence.

Juliette nous a rejoints devant les boxes pour nous féliciter.

— Vous avez été magnifiques. Bravo à tous !

— Ce n'est pas mon opinion, a grommelé Luc. Je ne pensais pas être capable de me ridiculiser à ce point !

— Pas du tout ! a protesté Camille, une cavalière. Mes copines t'adorent !

Elle était entourée de quatre filles d'une dizaine d'années.

— Tu es tellement drôle ! s'est extasiée l'une d'entre elles. Et cette robe te va bien !

Toutes ont pouffé.

— J'ai déjà persuadé ma mère de me payer une heure de plus par semaine pour faire de l'amazone avec toi ! a enchaîné Camille.

— Mais je… je n'ai pas l'intention de…, a bredouillé Luc.

— Mesdemoiselles, excusez-nous, nous sommes attendus ! a claironné Jessica en entraînant Luc par le bras.

— Pense au club ! a-t-elle murmuré en se dirigeant à grands pas vers la sellerie, où Luc avait laissé ses vêtements. Notre but était d'attirer les cavaliers vers une nouvelle discipline, non ? Et tu as réussi !

— Sans compter qu'il ne faut jamais décevoir ses fans, a ajouté Alix avec un petit sourire ironique. Tu as eu un succès fou. Assume, maintenant !

Luc a soupiré, prenant une pose théâtrale.

— On dirait que j'ai trouvé ma voie ! Il faudra étoffer ma garde-robe : je refuse de porter toujours la même tunique ! Une fabuleuse carrière de travesti s'ouvre devant moi…

Juliette, assise sur une malle, ne participait pas à nos plaisanteries.

— Après la présentation, vous n'avez pas vu la journaliste ?

— Non, ai-je répondu. Pourquoi ?

— Le public a suivi, mais… elle a dû penser que nous n'étions pas très sérieux. Sinon, elle aurait cherché à nous parler !

— Ça ne veut rien dire. Elle était peut-être pressée…

Juliette m'a tapoté l'épaule.

— Tu es plus éloquente, d'habitude, a-t-elle soufflé. Voilà des paroles qui manquent singulièrement de conviction !

Je n'ai rien ajouté : elle avait raison.

9

La reprise de préparation aux concours, le vendredi suivant – la première de l'année –, s'est déroulée dans un silence tendu. Hélène, assise dans la tribune, nous a exposé brièvement le programme de la séance : barres à terre, cavalettis, ligne d'obstacles avec entrée au trot et contrat de foulées. Par la suite, elle s'est contentée de remarques sèches quand nous passions devant elle. Je m'appliquais, consciente qu'il était vain d'espérer un « C'est bien, Léa ». Alix m'avait appelée la veille pour m'annoncer que sa mère était rentrée, d'une humeur massacrante (« J'avais laissé traîner un jean dans la salle de bains, j'ai cru qu'elle allait me tuer ! »), et qu'elle parlait de chercher un emploi de commerciale pour une chaîne de selleries. Hélène, faire du porte-à-porte dans les clubs pour vendre une gamme de selles premier prix ? N'importe quoi ! J'étais sûre qu'elle regretterait sa décision au bout d'une semaine.

— Léa, j'avais dit deux foulées entre la croix et le vertical ! À quoi te sert ta mention au bac si tu ne sais pas compter jusqu'à deux ?

Un autre jour, j'aurais répliqué sur le ton de la plaisanterie. Là, ce n'était pas le moment. J'ai marmonné : « Désolée », et repris ma place dans la file des cavaliers.

— C'était sinistre, ce cours, a bougonné Jessica en curant les pieds d'Haiphong. Alix, tu veux manger à la maison, ce soir ? Toi aussi, tu as une tête de croque-mort !

— Je me fais du souci pour maman. La nuit dernière, elle pleurait dans sa chambre. Je l'ai entendue, mais je n'ai pas osé entrer.

Elle a tendu une carotte à Mékong.

— Je crois que je vais rester au club. Merci quand même.

— Et toi ? a lancé ma sœur à Agathe, qui n'avait pas desserré les dents depuis le début de la reprise. Ça te dirait ?

— Tu n'as pas peur que je reparte avec les bijoux de ta mère ? a-t-elle rétorqué, cinglante.

Pour une fois, Jessica n'a rien trouvé à répondre. Bouche bée, elle a suivi des yeux Agathe, qui ramenait Chaoan dans son enclos.

— Elle est folle ! Qu'est-ce que j'ai dit ?

— Rien, a soupiré Alix. Elle est sur les nerfs, elle aussi. Après les remarques très subtiles de certaines personnes que je ne nommerai pas…

— Tu parles des vols ? a dit Gladys, une cavalière d'un certain âge, qui ne participait pas aux concours mais adorait le saut d'obstacles. Écoute, il n'y a pas de fumée sans feu ! Avant l'arrivée de cette fille, on pouvait laisser son sac au milieu de la cour sans le moindre souci !

— Agathe n'est pas la seule nouvelle au club, ai-je fait remarquer. Il y a les deux garçons qui habitent plus bas dans le chemin.

— Oui, mais eux, on connaît leur famille.

La moutarde commençait à me monter au nez.

— Ah oui ? Quel rapport ?

— On sait d'où ils sortent !

— Les voisins de Landru aussi savaient d'où il sortait. « Le petit Landru, un assassin ? Impossible ! J'ai pris le thé vingt fois avec sa mère... »

Gladys m'a fusillée du regard.

— Ne me parle pas sur ce ton ! Tu n'as aucune expérience de la vie...

— Assez pour avoir une idée des dégâts que peuvent causer certains préjugés !

Je vibrais de colère, et Gladys semblait prête à me jeter à la tête la brosse de chiendent qu'elle tenait.

— Laisse tomber, Léa, a chuchoté Alix en posant une main sur mon bras.

Puis elle a ajouté, à haute voix cette fois :

— J'ai changé d'avis, Jess. Soirée pizzas ? Tu viens aussi, Luc ?

— C'est que... j'ai un devoir de français à préparer, et...

— Tu as tout le week-end pour ça. Tu viens, pas d'excuse !

— Ah bon. Si tu le dis...

Haussant les épaules, il a ramassé sa boîte de pansage et ses guêtres pour les porter dans son armoire. Gladys avait déjà rangé son matériel et repartait vers sa voiture, l'air furieux.

— Tu es le dernier, n'oublie pas de boucler le cadenas ! a crié Alix. Je donnerai la clef à ma mère avant de partir. C'est quand même ridicule d'en arriver là !

Jessica nous a regardées l'une après l'autre, les yeux plissés.

— Réunion de crise ? a-t-elle avancé à mi-voix.

— Exactement, a confirmé Alix.

Les parents se sont laissé convaincre sans trop protester d'aller dîner au restaurant, en amoureux.

— Essayez le nouveau bar à tapas de Puymarin, leur a suggéré Jessica. La carte a l'air super…

— Tu sembles bien pressée de nous voir tourner les talons, a plaisanté maman. Vous préparez un mauvais coup ? Une orgie ?

— Le casse d'une banque, a répliqué ma sœur. On ne veut pas vous impliquer, au cas où on serait pris la main dans le sac.

— Sage précaution, ma fille…

Nous avons mangé les pizzas à la table de la cuisine en partageant une bouteille de limonade, puis nous nous sommes installés dans le salon, sur les canapés, de part et d'autre de la table basse que mon père a sculptée dans une souche de cèdre.

— Alix, à toi. Tu avais des choses à nous dire ?

Elle m'a souri – un sourire un peu crispé.

— Désolée de t'avoir empêchée de partir en croisade tout à l'heure. J'étais d'accord avec toi, mais Gladys n'est pas un cas isolé. Si vous saviez ce que j'ai entendu...

— On est là pour le savoir, a coupé Jessica. Vas-y, crache le morceau !

Alix a tapoté du bout des doigts le bois lisse de la table.

— Je suis au club tous les soirs, et je remplace Sylvain quand il est en congé. Quand les cavaliers discutent devant les écuries, ils ne font pas attention à moi.

Luc s'est redressé, l'air attentif.

— Et ?

— Pour aller vite, tout le monde soupçonne tout le monde. Une ancienne apprentie, le voisin, sous prétexte qu'il prend du fumier de cheval pour son jardin, le livreur de foin et même Françoise, la vétérinaire, qui est passée la veille de la journée portes ouvertes vacciner des chevaux... c'est n'importe quoi. La propriétaire d'Enchanteur n'adresse plus la parole à celui de Joker depuis qu'il a rangé par mégarde son étrille

américaine à elle dans son armoire à lui...
Les petites de la reprise Galop 3 échangent
des mails débiles et font enfler la rumeur.
Maman a les mères sur le dos... Si ça continue, la moitié des adhérents vont changer
de club, et cette fois nous n'aurons plus qu'à
mettre la clef sous le paillasson.

— Quel paillasson ? Je n'en ai jamais vu
à l'entrée des boxes...

Luc essayait de détendre l'atmosphère,
mais sa tentative est tombée à plat. Nous
sommes restés silencieux un bon moment,
plongés dans nos réflexions. Et elles n'étaient
pas gaies. Fermer le club des Garrigues ! Je
n'aurais jamais pu imaginer cela. Le club,
c'était ma deuxième maison. Depuis des
années, j'y passais presque tout mon temps
libre. J'y avais rencontré mes meilleurs
amis, ri, pleuré, partagé mes coups de blues
et mes joies. Je ne voulais pas perdre tout
cela : les randonnées, les concours, les
soirées du week-end, les discussions inter-
minables devant le feu du club-house...

— Il faut agir, ai-je déclaré. Alix a raison : si la situation continue à se dégrader,
ce sera une vraie catastrophe.

— Chic ! s'est exclamée Jessica, les yeux

brillants. Les détectives du club des Garrigues vont reprendre du service !

— Jess, ce n'est pas un jeu !

— Je sais, a-t-elle soupiré. Alors, tu proposes quoi ?

Alix a repris la parole :

— Je pensais que les gendarmes mèneraient une enquête... mais comme il n'y a pas eu d'effraction, ils ont enregistré la plainte de maman, sans plus.

— Ils n'ont pas interrogé les gens qui se trouvaient sur place le jour du vol ? s'est étonné Luc.

— Comment auraient-ils pu retrouver tout le monde ? Il y a eu beaucoup de passage, des voisins, des promeneurs, quelques touristes...

— Le vol a peut-être été commis par l'un d'eux, a suggéré Jessica.

Dubitative, j'ai secoué la tête.

— Je ne crois pas. Le voleur savait *quoi* dérober et *où* le prendre. C'est quelqu'un du club... même si cette idée me dégoûte.

10

Un carnet était posé sur la table basse ; sur la première page, j'avais inscrit une liste de noms.

— Nous étions costumés et masqués ; j'ai indiqué en quel personnage chacun était déguisé. Nous n'avons plus qu'à reconstituer les allées et venues des uns et des autres.

Luc a fait mine de s'arracher les cheveux.

— Rien que ça ! Mais c'est impossible !

— Bien sûr que non. Il s'agit surtout de savoir qui se trouvait où, et à quel moment. Nous étions une vingtaine, plus les parents : quelqu'un a dû voir le voleur s'introduire dans la sellerie !

— Ça représente quand même une quarantaine de personnes à interroger, a résumé Alix en comptant sur ses doigts.

— Nous nous partagerons la tâche, puis nous recouperons les témoignages.

Jessica n'a pas pu s'empêcher de me lancer une pique :

— À tes ordres, commissaire Fontaine ! Tu es sûre que ce n'est pas ça, ta vocation ? Les enquêtes, les interrogatoires, poursuivre les méchants pour faire régner la justice ? Léa ? Un problème ? Tu me regardes comme si j'étais un exemplaire rarissime de ton fameux Code somptuaire...

Elle avait raison : je la dévisageais, les yeux écarquillés, la bouche ouverte – bref, l'air stupide. Avait-elle mis, sans le savoir, dans le mille ? Je voulais retrouver les selles pour aider Hélène et Alix, ma meilleure amie... mais mener une enquête me stimulait. C'était... comme un défi. Je me sentais en compétition avec le voleur. Son intelligence contre la mienne, sa volonté contre la mienne.

— Et sur le plan pratique, on fait quoi ?

J'ai rangé dans un coin de ma tête ce nouveau point d'interrogation au sujet de mon avenir (mon cerveau commençait à en être encombré) pour répondre à Alix :

— On commence demain. Samedi, il y aura du monde, dont peut-être quelques nouveaux inscrits. Avec un peu de chance, s'ils sont venus à la journée portes ouvertes, nous pourrons les interroger aussi.

— Dommage qu'Agathe ne participe pas, a remarqué Luc.

Alix m'a jeté un regard où j'ai cru lire de l'inquiétude.

— Oui, dommage, a-t-elle murmuré sans autre commentaire.

Interroger les possibles témoins d'un vol était une tâche beaucoup plus fastidieuse que je ne me l'imaginais. La plupart des cavaliers n'étaient pas très observateurs, ou bien prenaient mes questions à la légère. Non, ils n'avaient rien vu. Des gens costumés, il en courait dans tous les coins, je ne m'attendais tout de même pas à ce qu'ils se souviennent des déplacements de chacun ? Si ? Ma pauvre Léa... Et ils repartaient vers leurs occupations en levant les yeux au ciel.

À la fin du week-end, j'avais questionné une vingtaine de personnes, pour un résultat décourageant. Zorro (ou peut-être le Vampire masqué) avait été vu sortant de la sellerie avec un gros sac-poubelle. Après vérification, j'ai découvert que le sac en question contenait du pain dur, que Benjamin (le Vampire) et non Grégoire (Zorro) portait aux chevaux sur le terrain pour les récompenser après le match de pony-foot.

Les parents de Benjamin, eux, ont très mal pris mon intervention.

— Mon fils est un voleur, c'est ça ? a vociféré sa mère. Allez, dis-le !

J'ai tenté, en vain, de la calmer.

— Pas du tout… je voulais juste…

— Oh, je vois bien ce que tu cherches ! À semer la zizanie !

— Au contraire, je…

— Je ne veux pas en entendre davantage. Si des ados irresponsables font la loi dans ce club, je m'en vais ! Benjamin, monte dans la voiture !

Le dimanche soir, Hélène nous donne souvent un cours supplémentaire : nous travaillons les jeunes chevaux, ou les poneys de club qui ont besoin d'être repris en main. Ceux qui aident au club montent gratuitement, l'ambiance est détendue. En général, l'un de nous apporte un gâteau que nous partageons à la fin de la séance. Mais ce jour-là, personne n'avait eu le temps de mettre la main à la pâte et Hélène, réfugiée dans son bureau avec Juliette, ne se montrait pas. Jessica restant, elle aussi, introuvable, j'allais frapper à la porte d'Alix quand la fenêtre du bureau s'est ouverte.

— Léa ? Tu peux venir une minute, s'il te plaît ?

Le petit sourire d'excuse de Juliette signi-fiait, à mon avis : « Ça va chauffer, mais il fallait t'y attendre. »

Je m'y attendais. J'ai pris une profonde inspiration, prête à affronter l'orage, et je suis entrée.

— Léa, il faut arrêter ça tout de suite.

Hélène semblait plus accablée que vrai-ment furieuse.

— Cette enquête… Je sais que vos inten-tions sont excellentes, mais…

Elle a esquissé un geste las.

— Juliette, dis-lui, s'il te plaît. Je suis à bout !

— Nous avons été assaillies de coups de téléphone depuis ce matin, a enchaîné celle-ci. Vos questions ont déclenché une véri-table tempête : deux propriétaires retirent leurs chevaux, les parents de Benjamin vont l'inscrire ailleurs, ceux de Grégoire ont pris la même décision. Et comme les nouveaux inscrits ne se bousculent pas…

— À peine trois ce week-end, a souligné Hélène.

— … le club ne peut pas se permettre de mécontenter ses adhérents.

— Le club ne peut plus rien se permettre ! La voix de la monitrice était lugubre.

— Je suis désolée, ai-je articulé, la gorge serrée. Nous voulions mettre fin aux rumeurs en découvrant la vérité sur ces vols. Des accusations injustes ont été lancées…

— C'est beau d'être jeune, a soupiré Hélène. Lutter contre l'injustice, se proclamer redresseur de torts ! J'aimerais bien n'avoir que ce genre de soucis !

Elle a tourné les pages de l'agenda posé sur la table.

— Beau planning de reprises, n'est-ce pas ? Baby-poney, horse-ball, voltige, entraînement obstacles, dressage, cours d'adultes… mais les cases sont presque vides. Que dois-je faire, à ton avis ?

Je n'ai pas répondu : elle n'attendait pas de réponse.

— Je sais de quoi tu veux parler, ou plutôt de qui, quand tu évoques ces accusations injustes, a-t-elle poursuivi. Et je regrette ce qui se passe ici. Mais je ne peux pas vous donner carte blanche. Je verrai Alix et les

autres plus tard… Ou plutôt non. Tu trans-
mettras le message. Je peux compter sur
toi ?

— Bien sûr, ai-je murmuré.

— Tu peux nous laisser, alors. Nous
allons essayer de trouver des solutions… des
solutions réalistes, a-t-elle conclu avec une
petite grimace désabusée. Fini les rêves !

Jess, Alix et Luc m'attendaient au club-
house. Ambiance « retour d'enterrement » :
j'avais rarement vu mines plus déconfites.

— Ah, vous êtes au courant ? ai-je lancé
en m'affalant sur le canapé.

— Au courant ? De quoi ?

Alix ne paraissait pas surprise – non. Plutôt… compatissante. Comme si elle hésitait
à m'apprendre une très, très mauvaise nouvelle.

— Ta mère ne veut pas que nous pour-
suivions notre enquête. On ne saura jamais
qui…

— Léa…

Ma sœur, elle aussi, parlait d'une voix
douce, prudente.

— Nous avons… euh, comparé nos fiches,
et…

— Dites-lui ! a explosé Luc. Elle n'est pas en sucre !

— Je ne comprends pas.

Je les ai fixés l'un après l'autre. Alix a détourné le regard. Des larmes brillaient au bord de ses paupières.

— Alix, tu pleures ? Que se passe-t-il ?

— Il se passe que trois personnes, je dis bien trois, ont vu le même masque entrer dans la sellerie avant que les vols ne soient découverts, a lâché Luc, amer. Et devine qui était ce personnage ?

— Comment veux-tu que je devine ?

— Catherine de Médicis, ma chère. Agathe ! Elle s'est bien moquée de nous, avec ses airs de victime !

11

Jamais je n'avais attendu la sonnerie annonçant la fin des cours avec autant d'impatience. En temps normal, j'aurais suivi avec passion l'exposé de mon professeur sur la poétique de Saint-John Perse, mais là, j'avais d'autres soucis en tête. Je restais pourtant immobile à ma place, affichant un simulacre de concentration et griffonnant sur mon classeur des bouts de phrases décousues, sans rapport – ou très lointain – avec l'auteur d'*Amers*.

> *Et c'est la Mer qui vint à nous sur les degrés de pierre du drame :*
> *Avec ses Princes, ses Régents, ses Messagers vêtus d'emphase et de métal, ses grands Acteurs aux yeux crevés et ses Prophètes à*

la chaîne, ses Magiciennes trépignant sur leurs socques de bois...

Des princes. Des régents. Des magiciennes.

Des masques.

« Trois personnes ont vu le même masque entrer dans la sellerie... »

Catherine de Médicis.

Agathe.

De mémoire, j'ai esquissé son costume – la fraise, le vertugadin, la coiffe couvrant les cheveux, le masque avec son volant de dentelle noire...

Alix, Luc, Jessica me l'avaient répété : je devais me rendre à l'évidence. Ils étaient aussi déçus que moi.

— Tout le monde peut se tromper, avait déclaré ma sœur. Moi aussi, je la trouvais sympa, cette fille. Et je déteste les racistes. Mais si elle a volé les selles, on ne va pas la féliciter en plus !

Elle avait raison, je le savais. Pourtant, je sentais qu'un détail m'échappait. Mais lequel ?

Agacée, j'ai froissé la feuille couverte de croquis.

— Une panne d'inspiration, mademoiselle Fontaine ? a ironisé mon professeur. Vous m'obligeriez en attendant la fin de l'heure pour laisser libre cours à votre verve poétique, et...

La sonnerie. Sauvée ! J'ai bredouillé une excuse et rassemblé mes affaires en toute hâte. Je savais où je pouvais trouver Agathe : dans le jardin entourant le lycée, prolongé par une serre où les élèves des BTS agricoles cultivaient tomates, courgettes et haricots verts. Depuis la rentrée, elle s'y réfugiait pour lire. Le climat, chaud et humide, lui convenait, disait-elle en plaisantant.

Je ne m'étais pas trompée. En entrant, j'ai aperçu son sac posé sur le sol, derrière une rangée de tuteurs. Elle s'était installée sur une chaise de jardin, les genoux remontés. Mais elle ne lisait pas.

— Agathe...

— Laisse-moi tranquille.

Je me suis assise sur une chaise vide, à côté d'elle. Les mots me fuyaient. Ma colère, le sentiment d'avoir été dupée, tout cela s'était envolé. Je ne ressentais plus qu'une grande tristesse.

— Agathe, tu sais... Hélène est une femme intelligente, elle peut comprendre plein de choses... Je suis sûre que si tu lui parles franchement, elle...

Je n'ai pas pu achever ma phrase. Agathe m'avait saisie par le poignet, et le serrait si fort que j'ai étouffé un gémissement de douleur.

— Attends ! Qu'est-ce que tu insinues, là ?

— Je sais que tu es entrée dans la sellerie. Maxime et Bérengère étaient là. Et Julie t'a vue ressortir avec un sac. Est-ce qu'il ne serait pas plus simple de me dire la vér...

— Menteuse !

Elle s'est levée d'un bond.

— Tu es pire que les autres... Je préfère les gros nases qui se moquent de moi dans la rue, ou qui me conseillent de rentrer dans mon pays, parce que les gens comme moi, qui sont là pour prendre le boulot des autres et vivre d'allocations, on n'en veut pas... Au moins, ils sont francs ! Toi, tu es une sale hypocrite ! C'est tendance, d'avoir une copine noire ? Je faisais bien dans le décor ? Et puis, au premier coup dur, quand il faut chercher un bouc émissaire... Tu me dégoûtes. Fais ce que tu veux : appelle la police, porte plainte, je les attends, moi, les flics. Et mes parents aussi. Mais je ne veux plus jamais te voir. Compris ? Tu dégages de ma vie !

Je n'ai pas eu le temps de répliquer : elle était déjà partie.

Le samedi suivant, j'ai failli annuler mon cours d'équitation, j'étais trop déprimée. Jess m'a secouée.

— Arrête de te lamenter sur ton sort et de te gaver de chocolats… tu vas grossir, tu auras des boutons, et Ludo ne t'aimera plus.

Ludovic, alias Ludo, est mon petit copain. Ou l'était. Je ne sais plus très bien. Ça fait partie des points d'interrogation.

J'ai haussé les épaules.

— Ludo est à Paris cette année. Je parie qu'il ne se souvient déjà plus de mon prénom. Tu n'as rien de mieux pour me motiver ?

Soudain sérieuse, ma cadette s'est perchée sur l'accoudoir du canapé où je m'étais réfugiée.

— Si… Léa, ne nous laisse pas tomber, ce n'est pas le moment.

— Mais j'ai tout raté, ai-je constaté amèrement. À cause de moi, Agathe va quitter le club, et elle n'est pas la seule.

— Si elle a vraiment volé ces selles, alors bon débarras !

— Je voudrais bien que les choses soient aussi simples, ai-je soupiré. Tu ne comprends pas...

— Je comprends parfaitement : Mademoiselle ne supporte pas l'échec, alors Mademoiselle se planque dans le canapé avec une pile de bouquins et un sac de cochonneries sucrées ! Allez, bouge ! Monter Saigon te fera du bien. Sinon, je te pique ton nouveau pantalon d'équitation, qui me va beaucoup mieux qu'à toi...

— Non ! Attends ! Tu as gagné : je viens.

Ma sœur avait raison : à cheval, j'ai tout oublié. Mais la réalité n'a pas tardé à me rattraper. J'étais en train de graisser les sabots de Saigon quand un break bleu marine est entré dans la cour. Agathe en est descendue, s'est penchée pour dire quelque chose au conducteur, puis a claqué la portière.

— Oh, oh, a murmuré Luc.

— Qu'est-ce qu'elle vient faire ? s'est interrogée Jessica, qui douchait Haiphong.

— Récupérer ses affaires, je suppose, ai-je dit, la gorge nouée.

Agathe est passée devant nous, le regard fixé sur la porte de la sellerie.

— Bonjour, Agathe, a lancé Alix.

Pas de réponse. Agathe est entrée dans la sellerie. Trente secondes plus tard, elle réapparaissait, sa boîte de pansage à la main et son tapis sous le bras. Glaciale, elle s'est adressée à Alix :

— Veux-tu vérifier que je n'emporte pas un cure-pieds de trop ? Je peux aussi ouvrir mon sac.

Gênée, Alix a fait non de la tête.

— C'est trop aimable à toi. Mais j'insiste. Avec les étrangers, on ne prend jamais assez de précautions.

S'agenouillant, elle a soulevé le couvercle de sa boîte pour que nous puissions en examiner le contenu.

— Arrête, a protesté Jess. C'est ridicule.

Agathe a ignoré cette remarque et s'est de nouveau adressée à Alix :

— Dernier détail, j'aimerais récupérer mon costume.

Alix, décontenancée, a battu des paupières.

— Ton costume ? Je ne comprends pas... Tu n'es pas repartie avec, l'autre jour ?

— Je ne parle pas de celui que je portais. J'en avais apporté un second, que j'avais laissé dans le club-house, et je ne l'ai pas retrouvé. Je suppose que vous l'avez *rangé* – vous ne volez pas, vous autres.

— Mais oui ! C'est ça ! Ça fait des jours que… Mais que je suis cruche !

J'avais dû crier, car ils ont tous tourné la tête vers moi – même Agathe.

— Léa, tu es sûre que ça va ?

Jessica se touchait le front. Je l'ai contournée et je me suis plantée devant Agathe.

— J'avais complètement oublié ce costume !

Elle m'a adressé un regard méprisant, puis a détourné la tête.

— Agathe, ce n'est pas le moment ! On tient la clef du mystère…

— Vous comprenez ce qu'elle raconte, vous ?

Luc, qui venait de dénouer la longe de Tao, a refait le nœud d'attache.

— Luc, tu as ton portable ?

— Oui, pourqu…

— C'est bien toi qui as interrogé Julie et Bérengère ?

— Oui, mais…

— Appelle-les. Demande-leur si elles

se souviennent des couleurs du costume qu'elles ont vu.

— Tu veux dire…

— Celui que portait la personne qui s'est introduite dans la sellerie !

— Je ne comprends pas, a dit Alix.

— Ce n'est pourtant pas compliqué ! La robe d'Agathe était rouge foncé, et son jupon vert. Elle nous a expliqué, souviens-toi, que les couleurs de l'autre costume étaient les mêmes, mais inversées : rouge pour le jupon, vert pour la robe. Exact, Agathe ?

— Exact, a-t-elle admis de mauvaise grâce.

Luc pianotait déjà sur les touches de son téléphone. Il s'est éloigné de quelques pas.

— Julie ? C'est Luc. Dis-moi, juste un détail…

— Juste un détail, a bougonné Jessica. Il exagère !

Mais il avait déjà raccroché. Nous l'avons vu composer un autre numéro.

— Bérengère, c'est Luc. Est-ce que tu te souviens de…

Son visage s'est illuminé ; il a levé un pouce en l'air.

— Jupon rouge, robe verte ! a-t-il crié. Les deux filles disent la même chose !

Agathe a fermé les yeux ; deux larmes ont roulé sur ses joues. Avec douceur, Alix a passé un bras autour de ses épaules.

— Léa n'arrivait pas à croire que tu puisses être la voleuse, a-t-elle dit. Elle avait raison. J'espère que tu vas rester au club.

— On l'espère tous, a confirmé Luc.

Je me suis mordu la lèvre pour ne pas pleurer, moi aussi. Par chance, ma sœur a choisi cet instant pour jouer les bulldozers.

— Super, a-t-elle déclaré abruptement. Sauf que le mystère reste entier. Qui a pris le costume d'Agathe ?

12

— Nous devrions peut-être tout raconter aux gendarmes, a dit Luc.

— Et entamer une grève de la faim devant les grilles de la gendarmerie, pour qu'ils se bougent un peu, a renchéri Jessica.

— Tu n'arrives déjà pas à sauter un repas, ai-je fait observer non sans perfidie. Alors, des journées entières sans pâtes…

— C'est facile de se moquer ! Tu proposes quoi, commissaire Léa ? Consulter une voyante ?

— Je vais monter sur la colline avec mes jumelles, a repris Luc. On m'a signalé un couple d'aigles de Bonelli du côté de la Sainte-Victoire. En observant leur vol, j'aurai peut-être une idée géniale ! Tu viens, Alix ?

— Non. Je vais travailler mon piano. Je suis comme toi : en surdose d'émotions.

— Et toi, Agathe ?

Agathe a sursauté et cligné des yeux, comme si elle se réveillait d'un profond sommeil.

— C'est… c'est à moi que tu parles ?

— Je ne vois pas d'autre Agathe dans le coin, a affirmé Luc en écartant les mains. Tu n'as jamais fait d'affût ? C'est tranquille, tu vas voir. Propice à la réflexion.

— Oh… d'accord, a-t-elle murmuré. C'est une bonne idée. Je vais prévenir mon père et lui demander de repasser me prendre plus tard.

— Moi, je rentre à la maison et je me cale devant la télé, a décidé ma sœur. Parfois, ça m'inspire !

— Eh bien, merci à tous, ai-je soupiré. C'est super de faire partie d'une bande d'amis soudés, fidèles et efficaces ! Chacun mène sa vie, et pendant ce temps, notre voleur court toujours ! Vous avez pensé à Hélène ?

Luc a secoué la tête, l'air découragé.

— Désolé, Léa. On ne peut pas toujours être au top…

Restée seule dans le club-house, j'ai pensé qu'un peu de rangement me permettrait d'utiliser mon trop-plein d'énergie. En cinq minutes, les magazines qui traînaient sur les tables étaient rassemblés en une pile bien nette, les vêtements oubliés pliés dans un carton, les chaises alignées autour de la grande table dépoussiérée. J'avais entrepris le classement des livres de la bibliothèque par ordre alphabétique quand Hélène a fait irruption dans la salle.

— Je ne retrouve plus rien, dans ce club ! s'est-elle exclamée avec un accent d'exaspération. Tu n'aurais pas vu ma petite tronçonneuse ?

— Non. Pas ici, en tout cas. Tu l'as peut-être oubliée sous le hangar ?

— Je viens de retourner l'atelier, le hangar, le garage, les selleries… Je n'arrive pas à remettre la main dessus. Et une branche à moitié cassée gêne le passage vers la carrière du bas. Décidément, tout va de travers, en ce moment !

— Tu ne l'aurais pas prêtée à quelqu'un ?

Elle a plissé le front.

— Tu as raison. Je l'ai prêtée à Raymond juste avant la journée portes ouvertes. Il n'habite pas loin, je vais aller la chercher.

Avec un peu de chance, il sera à son bureau et je n'aurai pas besoin de lui parler. Juliette a bien fait de le mettre à la porte, l'autre jour. Lui et nous, ça ne peut pas coller. Quel crétin !

— Je t'accompagne, si tu veux. J'ai envie de me changer les idées !

Dix minutes plus tard, nous gravissions une petite éminence plantée de pins d'Alep. Un étroit chemin de terre menait à une ferme joliment restaurée, en pierres apparentes, devant laquelle somnolaient trois énormes chiens. Comme aucun être humain n'était en vue, Hélène a actionné son klaxon, sans autre réponse qu'un bruyant concert d'aboiements.

— La porte est ouverte, ai-je remarqué. Il doit être là, ou sa femme…

— Je sais qu'il a des horaires très irréguliers… et un emploi du temps plutôt léger, compte tenu du nombre d'heures qu'il a passées au club depuis trois mois !

— Et là, qu'est-ce que c'est ? On dirait un atelier.

Hélène, à vitesse réduite, s'est avancée dans la cour.

— Regarde au bout de l'établi. Cet engin rouge, ce ne serait pas ma tronçonneuse ? Si c'est le cas, on la prend et on s'en va...

J'ai tendu le cou, mais l'un des chiens s'est rapproché en grondant, les crocs découverts. J'ai retiré précipitamment ma tête, heurtant celle d'Hélène.

— Pardon, ai-je bredouillé en me frottant la tempe. C'est bien une tronçonneuse, mais je ne me porte pas volontaire pour aller la récupérer. Je tiens à mes os !

— Bon, je me sacrifie ! Rassure-toi, je pense que si ces bêtes étaient vraiment dangereuses, elles ne seraient pas en liberté...

— Euh... tu crois ? Je ne parierais pas là-dessus. Si j'étais toi, je me méfierais !

— Je vais d'abord essayer le mot magique, a répondu Hélène.

Elle a baissé sa vitre et lancé un « Couché ! » sonore. Les chiens se sont tus. Le plus imposant, un berger blanc et fauve (plus grand que Hué, notre mascotte), s'est couché contre les roues de la voiture, le museau aplati contre le sol.

— Et voilà ! s'est exclamée la monitrice en sortant du 4 × 4.

Je l'ai suivie, l'œil sur les molosses. L'atelier, pourtant de vastes dimensions, était encombré au point qu'il était difficile d'y circuler. Pendant qu'Hélène poussait une tondeuse à gazon qui gênait l'accès à l'établi, je n'ai pas pu m'empêcher de fureter un peu partout. Le nombre d'instruments, de matériaux et d'outils accumulés dans l'unique pièce était impressionnant. Il s'y trouvait même un cheval à bascule mauve dont la tête, séparée du reste du corps, était suspendue à un crochet. En m'approchant pour l'examiner de plus près, j'ai contourné une commode en pin au placage abîmé. D'un tiroir entrouvert dépassait un morceau de tissu vert foncé.

Du velours.

J'ai tiré sur le tissu. Un pan entier de velours vert, et en dessous… du satin rouge froissé.

« Jupon rouge, robe verte. »

Le deuxième costume !

— Hélène, viens voir !

— Dès que je pourrai retirer mon pied de cet enchevêtrement de fils de fer, a-t-elle grommelé. Quel fouillis !

— Viens vite, ai-je répété. Je crois que nous tenons notre voleur !

— Qu'est-ce que tu racontes ?

En quelques mots, je lui ai résumé nos dernières découvertes.

— Agathe portait un masque qui couvrait tout le visage. Le voleur a enfilé l'autre costume, peut-être sans remarquer la différence de couleur ; il est entré dans la sellerie, sûr que les soupçons se porteraient sur elle si quelqu'un remarquait sa présence.

— Mais alors…

Les yeux d'Hélène ont balayé la pièce. Contre le mur du fond, une bâche recouvrait un amoncellement de cagettes.

— Aide-moi.

Nous avons repoussé le tas : les selles étaient là, dans des sacs-poubelle. Un autre sac contenait le filet de Jessica, une sangle, des éperons et même les gants beurre frais de Juliette ! Il y avait aussi deux caisses de DVD, une autre de champagne, deux magnétoscopes et des consoles de jeu dans leur emballage d'origine.

— Mon portable !

— Ne touche à rien, m'a conseillé Hélène. Je vais appeler ta mère pour qu'elle vienne te chercher… et les gendarmes. Il ne faudrait pas que notre coupable fasse disparaître les preuves.

J'avais du mal à en croire mes yeux.

— Comment peut-on en arriver là ? ai-je murmuré. Et pourquoi ? Raymond a de l'argent ! Il achète à son fils les équipements les plus chers…

— Une belle maison, un bon boulot, une petite famille modèle, a énuméré Hélène. Un citoyen au-dessus de tout soupçon !

À cet instant, la grosse berline de Raymond est entrée dans la cour. Il a claqué la portière et s'est précipité vers nous d'un air menaçant.

— Qu'est-ce que vous faites là, vous deux ? a-t-il hurlé. Sortez immédiatement de mon atelier ou je porte plainte pour violation de domicile ! Dehors !

Un long pied-de-biche était posé sur une table de jardin ; hors de lui, il l'a empoigné et l'a levé.

« C'est un cauchemar ! ai-je pensé. Au secours ! Il va l'assommer ! »

Hélène n'a pas bronché. Elle tenait sa tronçonneuse à la main et a fait mine de la démarrer. Le moteur a hoqueté.

— Je vous conseille de rester tranquille ! N'aggravez pas votre cas, les gendarmes vont arriver d'une minute à l'autre, a-t-elle bluffé.

Captant son regard, j'ai reculé vers la porte. Mon portable. Par chance, je l'avais machinalement glissé dans ma poche. Sortir, vite. Appeler la gendarmerie. Voilà ce que disaient les yeux d'Hélène.

Mais la laisser seule avec ce fou ?

— Lâchez ça… Soyez raisonnable. C'est fini.

Lentement, les doigts de l'homme ont desserré leur prise ; le pied-de-biche est tombé sur le sol avec un bruit métallique, et Raymond s'est effondré sur une caisse, la tête entre les mains. Une plainte aiguë, animale, est sortie de sa gorge.

J'ai regardé, par la fenêtre de l'atelier, le gazon soigneusement tondu, les chaises longues en teck, la piscine.

Et juste à côté de moi, cet homme qui sanglotait. Des bulles de salive se formaient au coin de sa bouche.

Et j'ai pensé que, oui, le monde des adultes avait de quoi faire peur.

Épilogue

— Et alors, Raymond ? m'a demandé
Alix. Il a tout avoué ?

Nous étions assises, côte à côte, sur le
canapé du club-house. Alix portait un sweat
sur son pyjama et soufflait sur le bol de
chocolat que je venais de lui servir. Après
cette journée mouvementée, nous avions
tous décidé de dormir au club – même
Agathe ! – et de faire une grande balade à
cheval le lendemain matin.

— Hélène ne t'a pas raconté ?

J'ai mordu dans ma brioche beurrée – un
délice.

— Non… Tu sais bien qu'elle a passé sa
soirée à la gendarmerie, pour faire sa dépo-
sition ! Mais toi, tu étais aux premières
loges. Pourquoi a-t-il volé les selles, et tout
le reste ?

— Pour les revendre.

— Mais...

— Il a perdu son boulot il y a trois mois, et il n'a pas osé l'avouer à sa femme. Il partait le matin, comme si de rien n'était, avec son porte-documents.

— C'est pour ça qu'il passait autant de temps au club ! Maman pensait qu'il bossait en horaires décalés, ou un truc de ce genre.

Elle a tendu le bras vers la corbeille de viennoiseries.

— Au début, ai-je repris, il a tapé dans son compte épargne pour payer les factures. Mais ça n'a pas duré. Il s'est endetté. Un jour, un type lui a dit qu'en échange de quelques « services » il effacerait son ardoise. Alors il a commencé à faucher.

— C'est triste, je trouve.

Nous n'avions pas entendu Agathe descendre l'escalier de la mezzanine. Elle a passé les doigts dans ses cheveux ébouriffés et nous a souri – un vrai sourire.

— Tu le plains ? s'est étonnée Alix. Il a tout fait pour qu'on t'accuse !

Agathe a pris son temps pour répondre.

— Oui, je le plains, a-t-elle dit enfin. C'est un problème de confiance... et de peur. On se méfie de l'autre. L'autre, étranger,

différent… mais aussi l'autre, proche, fami-
lier. Celui ou celle dont on craint le juge-
ment ou qu'on ne veut pas décevoir.
Raymond n'a rien dit à sa femme parce qu'il
avait peur qu'elle le voie comme un minable.
Ce n'est pas triste ?

Elle s'est tournée vers moi.

— Toi, Léa, tu accumules les gaffes parce
que tu as peur de paraître raciste ; et moi,
je suis agressive par peur d'être rejetée.

— On a tous peur de quelque chose, a dit
Alix.

— C'est bien vrai ! Moi, je meurs de
trouille à la seule pensée que vous avez peut-
être mangé le dernier pain au chocolat…

Jessica, bâillant, venait de passer la tête
par-dessus la rambarde.

— Attendez-moi, j'arrive !

— On peut compter sur ma sœur pour
élever le débat, ai-je grommelé.

— Je te préviens, j'entends tout !

— Et Luc ? a demandé Alix. Il dort
encore ?

— Il ronfle ! Ne l'épouse jamais !

Agathe s'est mise à rire.

— Elle est toujours comme ça ?

— Nature peinture, ai-je affirmé d'un ton

lugubre. Et souvent, c'est pire… Tu t'habi-
tueras !

— Encore un petit creux, les filles ?

Juliette et Hélène, derrière la porte vitrée,
agitaient des sacs en papier bien remplis. Je
me suis levée d'un bond pour aller leur
ouvrir.

— Regardez ! C'est formidable !

Hélène a déplié le journal.

— À la boulangerie, il restait quelques
exemplaires de l'édition du week-end. On
parle du club !

— C'est vrai ? Montre !

— C'est la journaliste de l'autre jour ?

— Poussez-vous, je ne vois rien.

— Elle a TOUT adoré… les costumes, l'ambiance, et particulièrement votre numéro
burlesque ! Elle ne nous ménage pas ses
louanges : « originalité », « enthousiasme »,
« l'équitation, une merveilleuse école de
vie »… Je vous laisse lire ! En plus, elle
donne les coordonnées du club : le téléphone ne va pas arrêter de sonner !

Alix sautait de joie.

— Et on a retrouvé les selles… Tu vas
pouvoir ouvrir ton nouveau cours d'amazone !

— Tout est bien qui finit bien, a déclamé Juliette avec emphase.

Discrètement, j'ai tiré Hélène par la manche de son pull.

— Au fait ; je voulais te demander…

— Quoi ?

— La tronçonneuse… Tu t'en serais servie, si Raymond avait essayé de te frapper ?

Un sourire énigmatique a étiré les lèvres de la monitrice.

— À ton avis ? Bien sûr que non ! Mais *lui* l'a cru, c'est l'essentiel.

— Je crois que je vais pleurer, a déclaré tout à coup Jessica.

Agathe m'a lancé un regard affolé.

— Ce n'est rien, ai-je dit. C'est son tempérament. Passe-lui un mouchoir en papier. Non, attends, j'en ai un, je crois…

Nos mains se sont rencontrées juste sous le nez de ma sœur, qui reniflait.

— Amies, alors ? a soufflé Agathe.

— Amies, ai-je confirmé. Sauf si tu manges mon croissant !

En Selle!

Retrouve

tes héros préférés

et gagne

des cadeaux sur

www.pocketjeunesse.fr

- toutes les infos sur tes livres et tes héros préférés
- des jeux-concours pour gagner des livres et plein d'autres cadeaux
- une newsletter pour tout savoir avant tes amis

Cet ouvrage a été composé par
PCA - 44400 REZE

Impression réalisée par

Brodard & Taupin

La Flèche (Sarthe), le 06-01-2010
N° d'impression : 55245

Dépôt légal : janvier 2010
Imprimé en France

12, avenue d'Italie

75627 PARIS Cedex 13